東北の芸術家たち

―人生・仕事を語る

河北新報社編集局　編

はじめに

馬は伯楽に遭って千里の麒麟《きりん》となる。

今は耳遠くなってしまったことわざを思い出す。伯楽はもともと、馬を見分ける名人のことを指していた。転じて育むことがうまい人。麒麟は中国の神話上の動物で獣類の長とされる。頭には角が生え、顔は竜、体は鹿に似て、五色の毛並みに彩られている。千里も走る麒麟となるには、伯楽との出会いが重要だ。要するに、その分野で一流になるには、教育や指導など人を育む力の役割がとても大きい、ということだろう。

この本は、いわゆる千里の麒麟となった人々の物語である。音楽、美術、文芸の分野で、功成り名を遂げた東北ゆかりの18人が、生い立ち、師との出会い、仕事への思いを語っている。サラブレッドとして生まれた人はほとんどいない。戦渦に巻き込まれ、あるいは食うや食わずの生活から、それでも何かに突き動かされるかのように創作に打ち込み、自らの道を切り開いてきた。

仙台市の洋画家、渡辺雄彦さんは福島県飯豊村（現相馬市）に生まれ、きょうだいは9人、家は貧しかった。高校で美術部だった渡辺さんは「美大に行きたい」と父親に打ち明けるが、返ってきた答えは「家から通える国立大なら受験していい」。相馬から通える国立大は東北大学しかない。親にしてみれば、旧帝大に合格するわけがない、と進学を諦めさせる魂胆だったらしい。渡辺さんは必死に勉強し、見事合格した東北大学で、生涯の師となる洋画家杉村惇氏と巡り会う。

仙台を拠点に東北の作曲界をけん引した作曲家・指揮者の岡崎光治さんは旧満州（中国東北部）で生まれ、10歳で終戦を迎えた。母の実家がある福島県内に引き揚げ、いわき市の磐城高校に進学。東京芸術大学出身の女性教師からピアノのレッスンを受けた体験が、音楽の道に進む転機となった。

伯楽の役割を担うのは、何も人に限らない。日本画家の能島和明さんは生後数カ月で、戦火に追われて東京から宮城県築館町（現栗原市）に疎開し、築館で育った。創作の源流には少年時代を過ごした築館の風土がある。画家になった後、家族で一時移住した栗駒山の自然が感性を磨いてくれた。「もし私の絵の中に少しでも魂が宿っているとしたら、それは栗駒山に住む、木や人や風の神様から頂いたのかもしれません」。そう語る言葉が印象的だ。

人が生きる上で大切なものは何か。それを追い続ける情熱はどこから来るのか。それがどう作品の創作に結び付くのか。ここに登場する一人一人の足跡をたどりながら、考えずにはいられない。そして東北には、芸術や文化の豊かな水脈があることに改めて気付かされる。

本書は、１９９７年7月に河北新報文化面で始めた連載「談（かたる）」を基にしている。これまで取り上げた各分野の「千里の麒麟」約70人のうち、芸術関係に絞り、東北の文化振興に大きな役割を担ってきた人々を収録した。河北新報社のかつて学芸部、今の生活文化部に所属する記者たちが、この地に脈々と流れる水脈の一端をすくい取ったにすぎないが、読者の心をわずかでも潤すことができればと祈念している。

河北新報社取締役編集局長　**今野　俊宏**

目次

第1章　音楽

指揮者

小林　研一郎 さん

日本を代表する指揮者の一人、小林研一郎さんは、幼い頃、ベートーベンの交響曲第9番「合唱付き」に魅せられて音楽の道を目指した。ピアノや作曲に取り組んだ後に指揮に転向。熱い指揮ぶりから「炎のコバケン」と呼ばれる。国内外で活躍する小林さんに半生を振り返ってもらった。

こばやし・けんいちろう　1940年生まれ。東京芸大卒。74年、第1回ブダペスト国際指揮者コンクール（ハンガリー）第1位。日本フィルハーモニー交響楽団桂冠名誉指揮者、ハンガリー国立フィルハーモニー管弦楽団桂冠指揮者、83～88年宮城フィルハーモニー管弦楽団（現仙台フィルハーモニー管弦楽団）首席客演指揮者。東京音大、東京芸大の各名誉教授。東京都新宿区在住。

◇「第九」聴き作曲家夢見る

＜小林さんは、高校の体育教師の父正毅さん、小学校教師の母喜代子さんの長男として、いわき市小名浜に生まれた＞

家は浜辺に近く、朝は潮騒の音で目覚める。そんな自然豊かな環境に包まれていました。4歳の時、父が自分の勤める学校に僕を連れて行き、ピアノで「月の砂漠」を弾いてくれました。美しい音色に心ときめかし、何度も「もう一度弾いて」と頼んだほどです。美しい旋律に心を奪われました。

10歳の頃、ラジオから流れる音楽に、大きな衝撃を受け、世の中に、これほど人の心を揺り動かすものがあるのかと体が震えました。ベートーベンの「第九交響曲」でした。

以来、「作曲家になりたい」と思い、学校のピアノで即興曲を弾き、母の手作りの五線紙に音符らしきものを夢中で書き続けました。

中学校の入学祝いで父が「学校の勉強を優先すること」を条件に「第九」のＳＰレコードを買ってくれました。でも、父は僕が音楽家を目指すことに強く反対しました。レコードばかり聴いていると怒られ、井戸につるされたこともあります。家族が寝ている夜明け前に、手回し蓄音機に耳をつけ、こっそりと聴く生活でした。

音楽に携わってきた半生を振り返る小林さん＝ 2015 年 8 月、長野県茅野市

しかし、父の態度は一変します。僕が中学２年の時に福島県の作曲コンクールで特賞を取り、ラジオから僕の曲が流れてきたのです。講評は「転調などいろいろなことを手掛け、才能にあふれている」という内容でした。

父は「研一郎の進みたい道をやらせてあげるしかないな」と母に言ったそうです。

それから父はピアノを買ってくれたり、東京の先生につけてくれたりと、応援してくれるようになりました。

＜福島県立磐城高に進学した小林さんは、作曲家になろうと決心する＞

音楽の道に進もうと考える同級生はいなかったのですが、僕は作曲家になる夢を捨て切れません。親の負担を考えると国立の音楽大学である東京芸大を目指すしかありませんでした。

受験に備え、作曲家の石桁《いしけた》真礼生《まれお》先生に指導してもらえたのは幸運でした。毎週日曜には、小名浜から先生の千葉県の自宅まで往復14時間もかけて通いました。

先生の指導は厳しく、勉強が足らないと「そんなようじゃ、帰れ」と怒鳴られ、たった15分のレッスンで帰らせられることも。それでも希望と夢に支えられ、つらいとは感じませんでした。しかし、先生に実力不足を指摘され、「今年は受験を断念するように」と言われました。

それでも、僕は先生に内緒で芸大に願書を出してしまいました。ところが先生にばれてしまい、両親に伴われ、先生のご自宅に伺い謝罪。その年の受験は見送りました。

東京で1人暮らしをして勉強し、翌年合格しました。先生から両親宛てに「最優秀でお入りになったことをお喜び申し上げます」との手紙が届きました。

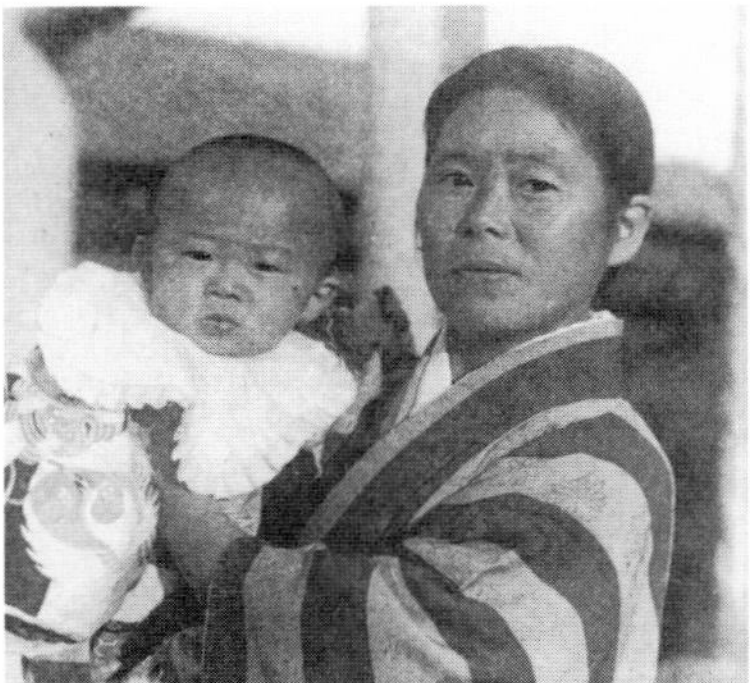

母に抱かれる生後数カ月の小林さん

◇曲の神髄　演奏で伝えたい

＜小林さんは１９６０年、念願だった東京芸大の作曲科に入学した。当時、作曲志望者の間では、前衛音楽が注目されていた＞

僕がときめきを感じるのはベートーベンや、ブラームス、マーラーといった、いわゆるロマン派の作品でした。しかし、60年代はピアニストがピアノの前で音を出さずに、ただ座っている「4分33秒」で知られる米国の作曲家ジョン・ケージらの前衛音楽が主流になっていたのです。

友人たちが盛んに前衛音楽を話題にする中、僕は旋律や和音のない無機質な音楽になじむことができず、違和感を抱き続けていました。かと言って、当時は転科の制度もありません。

苦労して支援してくれた両親の手前、せめて卒業はしなければならず、トップで入学したのに、ビリで卒業するわけにもいきません。気は進みませんでしたが、卒業作品は現代音楽にし、それは学内の優秀作品となりました。

首席で卒業したとはいえ、現代音楽に対する違和感は消え去ることはなく、疑問とむなしさで、もんもんとした日々を過ごしていました。

＜大学卒業後も作曲をする気持ちが起きなかった。大学の合唱部やアマチュア合唱団から指揮を依頼される＞

卒業した64年は東京オリンピックに象徴されるように、高度経済成長期の真っただ中。音楽に親しむ人も増え、明治大、独協大、星薬科大などの合唱部、武蔵野合唱団などから、指揮の依頼が来るようになりました。

ある時、「指揮者の道はどうだろう。指揮者になったら、敬愛する偉大な作曲家たちの思いに近づけるのではないだろうか」とひらめきました。初めて「第九」を聴いた時のあの衝撃が、体中を走り抜けました。ベートーベンやチャイコフスキーの神髄を演奏で伝えることができるなら、と思うようになりました。

芸大作曲科を卒業して2年後の66年、今度は指揮科に入学。70年に卒業しました。芸大には両科合わせて8年在籍しましたので、その時、すでに29歳になっていました。

合唱団の合宿の合間に将棋を楽しむ小林さん（左）＝1966年

指揮科を卒業しても、すぐにプロのオーケストラの指揮ができるわけではありません。音大の非常勤講師となり、アマチュアの合唱団などを指揮しました。

プロのオーケストラを指揮する機会を下さったのは、作曲家の芥川也寸志先生でした。先生は、後に宮城フィルハーモニー管弦楽団（現仙台フィルハーモニー管弦楽団）の音楽総監督も務められました。

先生が東京交響楽団に働き掛けてくださり、僕は72年５月、東京・日比谷公会堂で指揮者デビューをすることができました。

◇欧州のコンクールで優勝

＜小林さんが１９７２年に初めてプロのオーケストラを指揮した時、すでに32歳になっていた。コンクールは年齢制限があり、出場を諦めていた＞

デビューはしたものの、オーケストラの古手の楽員からは、リハーサル中でも「その棒の振り方では分からないいじゃないか」などと厳しく言われ、落ち込みました。

一人前の指揮者として、世に出るには、コンクールでの優勝という経歴がものをいいます。ある時、音楽雑誌の記事に目が留まりました。74年２月にハンガリーで第１回ブダペスト国際指揮者コンクールが開催される、応募資格は35歳まで、とありました。

ほとんどのコンクールの年齢制限は30歳でしたので、目を疑いました。しかし、コンクールまでは１カ月余り。交響曲やオペラなどの課題曲が50曲もあり、コンクール当日、その中からくじ引きで演奏曲を決めます。

１次審査は１人20分の持ち時間です。くじ引きで決まった２曲を演奏し、途中で止めて指示を出しても構わない、というルールでした。

＜小林さんはこの時、演奏を止めずに振った＞

当たった曲は、ベートーベンの「交響曲第1番」の第2楽章と、ロッシーニの歌劇「セビリアの理髪師」序曲。決まりでは、くじで引いた順に演奏しなければなりません。

しかし、ベートーベンのその曲は地味な始まり。得手としていなかったこともあり、これが先では勝ち目はない。何とかしなくては、と舞台の袖から歩きだして数秒後、指揮台に立った瞬間に、「セビリア」と、オーケストラに向かって叫び、棒を振り下ろしました。曲順が違うのでオーケストラは慌てましたが、何も言わずに僕の棒についてきてくれました。

持ち前の大きな声で短く指示をしながらも演奏はやめません。それまで止めて指示を出す指揮者が多かったせいで疲弊していたオーケストラの音が、命を得たように輝き始めました。

1次審査の後、驚いたことに、コンサートマスターが他の出場者がいるにもかかわらず、「君が一番だ」と言ってくれたのです。それが大きな自信になり、2次、3次審査を突破。6人が残った最終審査でも自分の実力以上を発揮できたと思います。

優勝者の発表で「ケンイチロウ　コバヤシ　ジャパン」と読み上げられた時は、自分の身に何が起

第1回ブダペスト国際指揮者コンクールで優勝し、他の受賞者と喜ぶ小林さん（中央）＝1974年

きたのか、うまく整理できず、頭の中が真っ白になってしまいました。これが欧州デビューとなったのです。

コンクールはテレビで生中継され、ハンガリー国内はもとより、近隣の国にも顔が知れ渡り、すっかり有名人に。受賞記念コンサートでは、控室前から楽屋口の外まで身動きが取れないほどの人々が押し寄せて、サインを求められました。

◇内外の楽団から依頼続々

〈1974年に第1回ブダペスト国際指揮者コンクールに優勝した小林さんは、欧州での仕事を重ねていく〉

優勝の効果は大きく、ハンガリー国立交響楽団（現ハンガリー国立フィルハーモニー管弦楽団）をはじめ、東西ドイツ、イタリア、フランスなどのオーケストラから次々と指揮の依頼が舞い込みました。

国内でも東京都交響楽団、日本フィルハーモニー交響楽団などから声が掛かりました。受賞前には、僕の指揮に批判的で冷たかった楽員も、僕を認めてくれて一生懸命音を出すようになり、演奏の密度の濃さを実感できました。

ブダペストの丘から眺めると、広いドナウ川がゆったりと流れ、両岸を街が囲んでいて実に美しい。

歴史に翻弄《ほんろう》されてきたこの国のオーケストラの感性に刺激を受けて指揮ができることは、幸せなことでした。

国外の仕事が多くなったため、ブダペストに拠点を置き、各地に出向きました。当時は冷戦の時代。東西ドイツに分かれ、東ベルリンやドレスデン、ライプチヒなど東ドイツのオーケストラから伝統の重みを学びました。

しかし、東欧諸国で多く指揮していても、現地の通貨は国外で使えないため経済的には厳しい。日本にいて演奏のたびに欧州に行く方がいいと考え、3年ほどでブダペストを引き上げました。

＜その後も欧州の有力オーケストラから指揮の依頼が続いた＞

ハンガリー国立交響楽団では、1987年から10年間、常任指揮者や音楽総監督を務めました。外国人の総監督はグスタフ・マーラー以来。大変名誉なことでした。

楽員には毎年、私が監督でいいかを無記名の○か×かで尋ねました。一人

超満員となったブダペストのリスト音楽院で指揮をする小林さん＝1975年

でも×があったら辞めるつもりでしたが、毎回全員が○を付けてくれ、心が和みました。辞任を決意したのは、楽員のリストラを迫られたから。家族同然の仲間を切ることができませんでした。

チェコ・フィルハーモニー管弦楽団は、96年に初めて指揮してからの関係です。97年にはスメタナの交響詩「わが祖国」を録音。２００２年には、世界的に知られる祭典「プラハの春」音楽祭の開幕コンサートで、「わが祖国」を演奏するという光栄に浴しました。

チェコ・フィルの日本公演でも指揮し、ベートーベンやチャイコフスキーの交響曲全曲を録音。他にもマーラーやブラームスなど多くの作品があって、チェコフィルはこれまでに出したＣＤの中で最も多く関わっています。このオーケストラとのつながりは得難い宝物になっています。

◇国内複数楽団で重責担う

＜小林さんは海外で華々しい活躍を繰り広げる。国内のオーケストラからも責任ある仕事が次々に舞い込んだ＞

１９８０年ごろから、指揮ぶりから「炎の指揮者」と呼ばれました。華々しい印象を持たれますが、指揮者には、楽員に響く言葉遣いや態度のほか、楽譜の練習番号までをも覚えていく地道な努力が欠かせません。

人事権を持つ音楽監督ならば、そうした姿勢がなおさら大事です。楽員を制御するのではなく、むしろ、相手への尊敬の念が必要。指揮者ではなくオーケストラが輝かなければならないからです。

84年ごろ、京都市直営の京都市交響楽団（現在は財団法人が運営）から「常任指揮者になってほしい」との話が来ました。重い役でためらいましたが、市の熱意ある説得が続き、決心しました。

気になったのが、演奏会場だった京都会館の音響の悪さ。85年4月に就任した際、市の幹部に「新しいホールが京都の文化づくりにつながる」とお願いしてあったのですが…。

繊細な響きを表現し、市民に愛されるオーケストラになるには、ハード面の整備が必須です。悲しいことに練習場も廃校となった小学校でした。

音楽監督や常任指揮者は、任期中ではなく、1年ごとが勝負だと考えています。ところが、市からは1年が過ぎても返事がありません。

状況を打開したい一心で翌年夏、地元の新聞記者に「ホールも練習場も計画がないなら、常任を降りる」と宣言。辞めるつもりまではありませんでしたが、「京響小林氏が辞任」という大きな記事になりました。

市はその後「練習場はすぐに、ホールは近い将来に建てる」と発表。88年に新しい練習場ができ、95年に京都コン

ハンガリー国立交響楽団の常任指揮者となった小林さん＝1987年

サートホールが完成しました。常任だったのは2年で、その後、指揮者として3年ご一緒しました。僕の訴えがどれほど影響したのかは分かりません。でも、良い置き土産ができました。

＜日本フィルハーモニー交響楽団とは特に関わりが深い。88年に首席指揮者、90年から常任指揮者などを歴任。２００４～07年は音楽監督を務めた＞

ＮＨＫ交響楽団や読売日本交響楽団などのように、大きな後ろ盾がなかった日本フィルの音楽監督を引き受けるのは大変でしたが、経済面でサポートできるかもしれないと思ったのです。会社回りやトップの方々とのゴルフなどを通じて、日本フィルの窮状を訴え、かなりの支援を得ましたが、それでも楽員の給料を増やすところまではいきませんでした。楽員が落ち着いて生活することが、いい演奏につながります。欧州や米国同様、日本政府ももっと文化に目を向けてくれるようお願いしたいと思います。

◇仲間と被災地を回り演奏

＜小林さんは演奏活動の傍ら後進の指導にも力を注ぐ。２０００年から8年間、東京芸大教授を務めた＞

今の学生たちは、幼少の頃から厳格な指導を受けてきていて皆優秀です。後進を育てるというよりも、むしろ僕が若い人たちからたくさんのエネルギーをもらっている感じでした。

中でも、今や国内外で大活躍する山田和樹君（２０１２〜17年に仙台フィルハーモニー管弦楽団ミュージック・パートナー）は在学中から光っていて、09年にフランスのブザンソン国際指揮者コンクールで優勝しました。頑張らずに楽しんで振れば、必ずいい結果が出るとメールしたものです。指揮者は、天才たちが集まるオーケストラがあってこその仕事。音楽的な素養はもちろん、楽員を敬い、自分の思いを伝えるといった人間力も欠かせません。和樹君は受賞の前後でも態度が全く変わらず、今後の活躍が楽しみです。

＜国内外での演奏活動に加え、新たな分野にも挑戦している。小林さんを慕う音楽家でつくる「コバケンとその仲間たちオーケストラ」もその一つだ＞

２００５年に長野県で知的障害者のスポーツの祭典「スペシャルオリンピックス冬季世界大会」があった際、妻から「参加者を励ましたい」と相談されました。

オーケストラが構成できるかどうか不安でしたが、賛同してくれた１３０人もの音楽家（イタリアやドイツなど国内外のプロ、障害者）による「仲間たちオーケストラ」を結成。ボランティアで演奏しました。音楽を通じ、バリアフリー社会の実現につながることを願っています。

11年３月11日の東日本大震災では多くの方々が肉体を失い、魂になってしまわれました。悲しい思いは今も続いています。古里のいわきに帰り、小学校を訪れたとき、ランドセルの破片が校庭に悲しく落ちていて胸が痛みました。

震災後、折に触れて「仲間たちオーケストラ」と一緒に被災地を回って演奏し、祈りをささげています。

しかし、音楽がどれだけ悲しみにうちひしがれている方の力になっているのか。正直懐疑的な思いが拭えません。心の支援も大事ですが、やはり国がもっと微に入り細に入り、被災者を手厚く支援してほしいと思います。

12年、アフリカのサバンナでヌーの大群を見ました。水を求め、暗雲の方向にひたすら歩んでいきます。懸命に歩いたとしても、雨が降る保証はない。黙々と自らの歩みを進める彼らの姿に心を激しく揺さぶられました。

僕たちも与えられた所を進んでいくしかありません。僕もそうしたちっぽけな存在。それでもその中を全力で生きていきたいと願っています。

（聞き手は菅野俊太郎、２０１５年9月2日〜10月7日掲載）

東日本大震災からの復興を支援する演奏会に出演した小林さん＝2014年、いわき市

ピアニスト

浅野　繁　さん

「演奏家の役割は作曲家が楽譜に込めた思いをどう音にするか。技術を超えて表現するものがないと聴衆には伝わらない」。仙台市のピアニスト浅野繁さんは語る。宮城学院女子大で教えながら内外でソロ、室内楽の演奏活動を展開。オーケストラとの共演も重ねてきた。その足跡を振り返りつつ、音楽への思いなどを語ってもらった。

あさの・しげる　1949年生まれ。桐朋学園大卒。宮城学院女子大名誉教授。70年日本音楽コンクール2位。76年文化庁在外研修員としてスイスに留学、アルトゥーロ・ベネデッティ・ミケランジェリ氏に師事。80年帰国し、東京、仙台を中心に、内外で幅広い演奏活動を行う。95年度宮城県芸術選奨受賞。仙台市泉区在住。

◇当初独学、援助を得て上京

＜浅野さんは宮城県小野田町（現加美町）に生まれた。地元でピアノを始め、小学6年の時に、仙台市の音楽教室で本格的なレッスンを受け始めた＞

農家の次男に生まれました。4人きょうだいの2番目です。音楽的な環境ではなかったですね。特にクラシックとは全く縁がない家庭でした。音楽との出合いは小学4年の時です。

音楽や美術に造詣が深い佐々木美佐子先生が赴任し、学芸会でアコーディオンとオルガンを弾かされました。鍵盤楽器に初めて触れ、自分で音を出すことの面白さを知ったんですよ。この子は音楽が好きだと先生は感じたのでしょう。ピアノ教則本のバイエルを僕に与え、学校のピアノを自由に弾かせてくれました。

ブルグミュラー、チェルニー30番、ソナチネアルバムなどももらいます。先生はレッスンではなく様子を見てくれた感じで、独学に近い形でしたね。それでも秋の加美郡小中学校音楽祭ではモーツァルトの「トルコ行進曲」を弾きました。その後、古川高（大崎市）教師の庄司芳武先生にも見てもらうようになります。

音楽への思いなどを語る浅野さん

５年の時、無謀にも全東北ピアノコンクール（東北放送、河北文化事業団など主催）を受けたんです。もちろん落ちました。その後、佐々木先生が仙台の音楽界の情報を集めてくれ、６年の春に、桐朋学園「子どものための音楽教室」仙台分室に入りました。自宅から毎週仙台に通い、本格的な勉強を始めたんです。

分室では登坂ときわ先生と大西愛子先生

に師事し、後に井口愛子先生の教えも受けます。脱力、指の独立、音の出し方、歌い方など、ピアノの基礎を徹底して教わりました。一からやり直したと言えますね。

＜中学卒業後、東京の桐朋女子高（音楽科は共学）に進む。カルチャーショックに悩まされつつ、ピアニストへの道を歩き始めた＞

中学3年の時、全東北ピアノコンクールで優勝しました。井口先生らは当然桐朋高に進むと思っていたようですが、1年の時に父が病気で亡くなり、経済的に東京へ出るのが厳しくなりました。佐々木先生が援助してくれる人を探してくれ、進学がかなったんです。行くからにはきちんと学ばなければならない、帰るわけにはいかないとの決意で上京しました。

受験の時、井口先生が「東北から天才少年が来る」と言いふらしたので、先輩の野島稔さん（ピアニスト、東京音楽大学長）が練習室を取って待っていてくれたのを覚えています。

高校に入った時は、強いカルチャーショックを受けました。同級生はみな音楽的な環境で育ち、きちんとした教育を受けてきた人たちで、話題も自分の知らないことばかり。まさに別世界でした。田舎へ帰ろうかと思ったこともあります。

中学1年の時、大西愛子さん門下生の発表会で演奏する浅野さん＝東京都杉並区

井口先生の紹介で、寺が経営するアパートに入るはずだったのですが、空き部屋がなく、高校時代はずっと、寺の住宅部分の納戸に居候していました。アパートには当時、野島さんや大山平一郎さん（指揮者）らが住んでいたんです。学校のすぐ近くで、墓を抜けると校庭に出る。毎日夕食の後、学校の練習室に通い、午後10時ごろまで練習する生活でした。

◇コンクール機に演奏活動

＜桐朋女子高（共学）の生活にようやくなじんだ浅野さんは、友人や先輩との演奏活動に力を入れる。大学３年で日本音楽コンクールに入賞した後は、プロの演奏家との共演も増えた＞

北海道出身で指揮者志望の同級生と、地方出身者の悩みなどを話すうちに仲良くなり、ピアノ連弾をするようになりました。演奏したのはモーツァルトやベートーベン、ブラームスの交響曲など。学校内で評判になり、指揮者を目指す先輩たちの練習に付き合わされました。ブラームスの「悲劇的序曲」を、僕が連弾用に編曲したこともあります。

弦楽器などを学ぶ同級生から伴奏を頼まれることも増えました。伴奏は良い勉強になるし、「この学校にいていいんだ」と救われた気がしましたね。田舎に帰ろうなどと考えなくなったんです。学業を援助してくれた方からチケットをもらい、演奏会や美術展に通ったのも、良い刺激になりました。学生のオーケストラは、見ただけで感動しました。

高3ぐらいになると、自分でも力が付いたと実感しました。桐朋学園大に上がってからも室内楽などをやっていましたが、そのうちに井口愛子先生に日本音楽コンクールに出ないかと言われ、何の迷いもなく「やります」と言ったんです。

本選に残ったのは僕を含め桐朋の3人と東京芸大の1人で、課題曲はベートーベンの「ピアノ協奏曲第4番」。初のオーケストラとの共演は気持ちが良くて、カデンツァの前に終わったような気分になってしまったんですよ。結果は、桐朋では最高の2位でした。

コンクール後は、準備で遅れた単位取得のために朝から晩まで大学にいて、一番後ろの席で居眠りするような状況でしたね。受賞者演奏会で全国を回ったほか、プロの演奏家と共演する機会が増えたんです。チェロの井上頼豊先生のリサイタルの伴奏もしました。この時の曲目を中心にしたLPレコードが出ています。

＜浅野さんは1972年3月に桐朋学園大を卒業、本格的な演奏活動を始める。母校の非常勤講師と東京音楽大助手にも就任した＞

井上先生の伴奏は卒業後も何度か務め、東京のほか大阪、福岡でも演奏しました。先生はレパートリーがすごく広く、音楽的知識も豊富で、学ぶことが多かったですね。プロコフィエフのソナタをやった後、先生は知り合いに「浅野君は良かったけど、リヒテル（20世紀を代表するピアニスト）の方が上だ」と言われたそうです。「これはすごい褒め言葉だと思うよ」と、僕に言ってくれました。

73年に古川（大崎市）の庄司芳武先生が、地元で卒業記念演奏会を開いてくれました。僕の初のリサイタルです。以後、東京、仙台とリサイタルを重ねることになります。バイオリンの小林武史先生、チェロの安田謙一郎さんら第一線で活躍する演奏家の伴奏を務める機会も増えていきます。

73年秋に世界的な大ピアニスト、アルトゥーロ・ベネデッティ・ミケランジェリ氏が来日し、僕の演奏を聴いてもらえることになりました。電車を乗り間違えるほど緊張しましたが、ステージの顔とは全然違い、本当に優しい人でした。バルトークのソナタを弾くことを伝えたら、「僕のピアノを壊さないでくれよ」などと冗談を言って気持ちをほぐしてくれたんです。生涯の師との出会いでした。

チェロ奏者井上頼豊さんのリサイタルで初めて伴奏を務めた浅野さん（右）。その後共演を重ねる＝1971年9月、東京都中央区

◇スイス留学、大きな転機に

＜1974年10月、浅野さんは人気バイオリニスト小林武史さんとトルコ、東南アジアへの演奏旅行に旅立つ。2カ月にわたり8カ国を回った＞

国際交流基金から小林先生に要請があり、先生が面識のあった僕を共演者に選んでくれたんです。まずイスタンブールに入り、インド、タイ、インドネシア、マレーシア、フィリピンなど8カ国18都市で計27回の演奏会を開きました。

2人でバイオリンの名曲などを演奏、マニラではマニラ交響楽団と共演しました。小林先生がプロコフィエフの1番など、僕がベートーベンの3番です。

先生はまず、バイオリンに音色を合わせるよう求めました。弦に合うタッチ、表現、歌い方などを、すごく教えてもらいましたね。会場は音楽ホールから野外までいろいろ。演奏中に電気が消えたこともあります。でも、どんな状況でもきちんと自分の音楽を表現しなくてはならない。演奏家としての姿勢も、先生は教えてくれました。

ピアノの状態もさまざまで、湿気のため鍵盤が途中で止まり上がってこなかったこともあります。空いている指でくっと上げて演奏したんです。ピアノがどんな状態でも全力投球したことは、良い経験になりました。

東南アジアには75年11~12月にも作曲家・指揮者の石井真木さんが団長を務めたTOKK(トック)アンサンブルのメンバーとして出掛け、古典から日本人の新作まで演奏しました。

＜浅野さんは76年12月、文化庁・芸術家在外研修員としてスイスに留学し、アルトゥーロ・ベネデッティ・ミケランジェリ氏に師事する。ピアニストとして大きな転機となった＞

ミケランジェリ先生はスイスのルガーノに住んでいました。75年夏にレッスンを受けた時、先生の所で学びたいと言ったら、「どれぐらい来られるのか」と聞かれました。「3年ぐらいですかね」と言うと「ちょうどいいけど仕事はどうするんだ」と尋ねられ、「OKなら辞めて来ます」と。文化庁への申請が通り、76年12月に羽田をたったんです。

ルガーノ近郊のリバサンビターレという町に住居、楽器、生活必需品などを全て先生が手配してくれていて、すぐに練習が始められるようになっていました。

先生は自分ではピアノの音を出さずに歌って表現してくれるんですよ。声の色がオーケストラのように多彩で、声から音色とかタッチ、イメージを想像できるわけです。1年目は（課題）曲をたくさんもらい、狂ったように練習しました。

禁酒し、1日8時間は弾いていました。先生は定期的にレッスンをする人ではないので、いつレッスンがあっても弾けるようにしておかなければならない。大変だけど、準備している時間がとても楽しかったですね。

文化庁の研修員の期間は1年。77年12月に帰国して報告書を出した後、翌年2

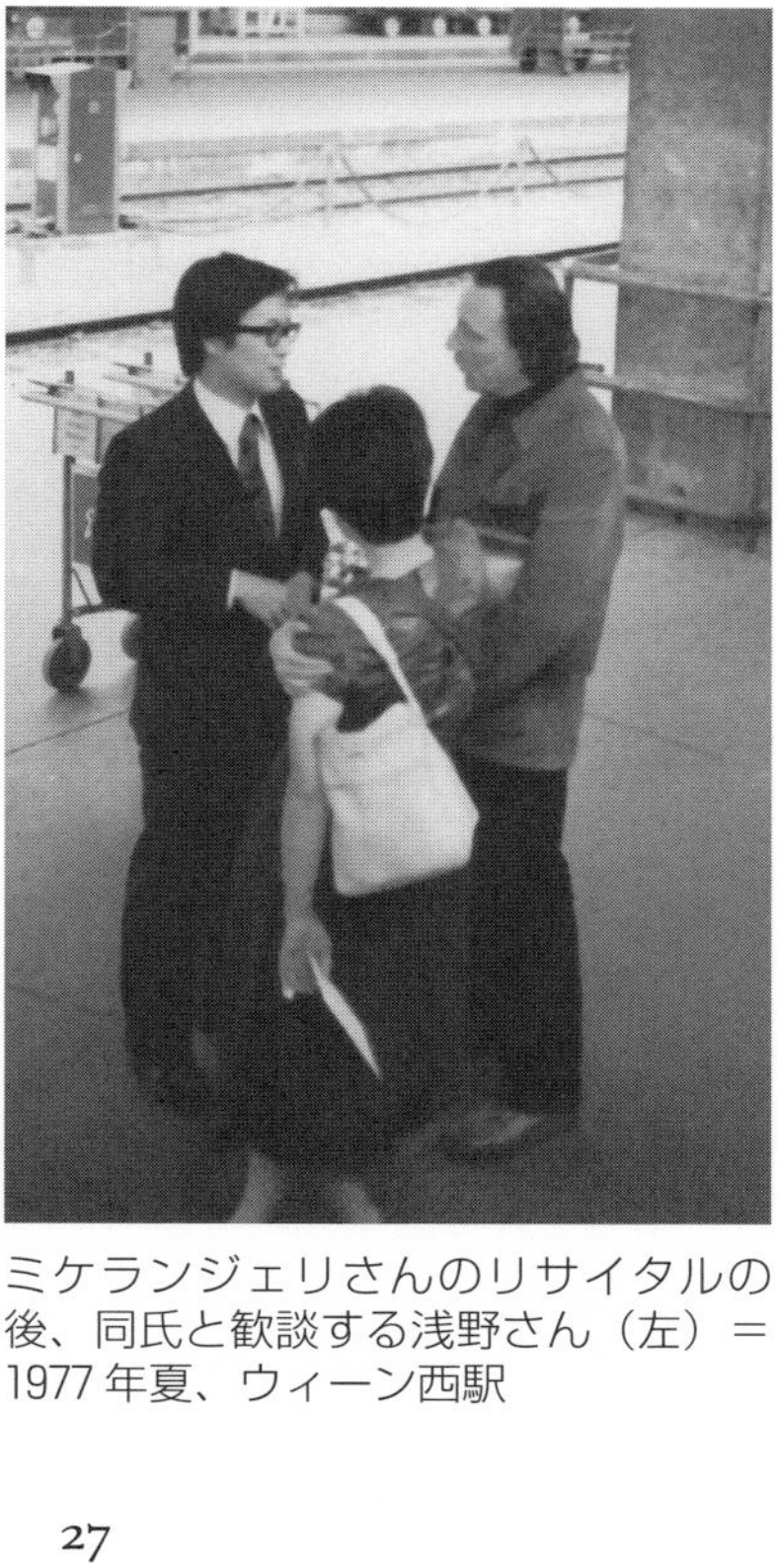

ミケランジェリさんのリサイタルの後、同氏と歓談する浅野さん（左）＝1977年夏、ウィーン西駅

月にスイスに戻りました。後半の2年間は自費留学です。出発する前に桐朋学園大の非常勤講師など日本での仕事はみな辞めました。

ミケランジェリ先生の教えを受けて実感したのは、音楽を表現するためにはメカニズムの上を行くテクニックが必要だということ。表現するものが多いほど、たくさんのテクニックを要求されるということです。オフの期間を必ず設けるなど、演奏家としてめりはりのある生き方からも、多くを学びました。

◇音楽使節として中国回る

＜浅野さんは1980年2月、3年間のスイス留学を終え帰国する。国内での演奏活動を再開し、81年4月には鹿児島短大（現鹿児島国際大）音楽科の講師に、翌年助教授となった＞

桐朋学園大などの非常勤講師は辞めていたので無職です。子どもたちにピアノを教えたり、伴奏をしたりしていました。5月には小松和彦さん指揮の新星日本交響楽団（東京フィルハーモニー交響楽団と合併）とバルトークの「ピアノ協奏曲第3番」を演奏します。帰国後初めてのステージで緊張しましたが、楽しく演奏できました。ミケランジェリ先生から激励のはがきもいただきました。

秋にはリサイタルを再開しましたし、入野義朗先生の追悼演奏会にも出演し、先生の「グローブスⅢ」などを弾いています。75年にＴＯＫＫ（トック）アンサンブルの東南アジア公演で演奏した曲です。

鹿児島短大には公募に応じて行きました。鹿児島は演奏旅行で訪れていたので知り合いもいたんですよ。専任教師になり、経済的な安心感があったし、空き時間は練習、音楽に没頭できる環境でした。間もなく鹿児島での演奏活動を始め、独奏・室内楽のコンサートを開いたり、アマチュアの鹿児島交響楽団と、大友直人さんの指揮で、ベートーベンのピアノ協奏曲第５番「皇帝」を演奏したりしました。

アマチュアオーケストラは練習時間が十分に取れるので、準備する間の楽しさ、わくわく感は特別なんですね。本番ではとても立派に演奏してくれました。東京では留学前に大学オーケストラなども一緒にやっていましたが、このころからアマチュアオーケストラとの共演が増えていきます。鹿児島を拠点としていた間も、東京でのリサイタルや伴奏は続けていました。

＜82年秋には日中国交回復10周年記念音楽使節として訪中。バイオリニストの小林武史さんと北京、上海、西安の３都市で７回の演奏会を開いた＞

小林先生と行ったトルコ・東南アジア演奏旅行と同様、国際交流基金の要請でした。３都市とも立派なホール、ピアノがあって、気持ち良く弾けましたね。演奏したのはブラームス「バイオリンソナタ第３番」や、団伊玖磨さんのバイオリンとピアノのための作品「ファンタシア」などです。

特に印象に残っているのは西安です。音楽院があり、音楽の伝統が根付いている街だなと強く感じました。北京は大会場でちょっと騒々しかったけれど、全体的に聴衆の反応は良かったですね。本当に真剣に聴いてくれる。小林先生は音楽院の学生の指導もしましたが、レベルの高さに驚いていました。僕もいろんなところで、すごい国だなと感じましたね。

鹿児島短大は最低5年は居るつもりでしたが、宮城学院女子大が教員を募集しているという連絡を恩師から受けたんです。むげに断るわけにもいかず、2年いて卒業生を1回出した後なら応じてもいいかなと。

せっかく学校と土地に慣れたのにまた一から始めなくてはいけないという気持ちはありました。でも、これまで学んだこと、経験したことを地元宮城のために役立てたいという思いが強かったんです。4年間継続して教えれば、それなりのことができるかもしれないという期待感もあり、宮城学院に行くことを決めました。

日中国交回復 10 周年記念音楽使節として訪中、小林さん（右）と演奏会を開いた浅野さん（中）＝1982 年秋、上海市

◇国内外で演奏活動活発化

＜浅野さんは1983年4月、宮城学院女子大に助教授として赴任した。同時にリサイタルを中心

に、国内外での演奏活動を一層活発化させる＞

大学では、４年間の中で必要なテクニック、楽譜の捉え方、幅広いレパートリーを身に付けさせるとともに、その中から自分に合う曲を見つけさせることを意識して指導しました。社会に出て演奏会をできるように育てなければという気持ちが強かったですね。だから、ものすごく厳しかったようですよ。

後に教え子に聞いたら、「レッスン室の前に立つと体が硬直してくる」とか、「音を出すときにすごく緊張した」とか言っていました。自分では当たり前の指導だと思っていて、厳しくしている意識は全くなかったのですけれど。地元ということもあって力が入っていたんでしょうね。

教授になったのは91年です。今、教え子で音楽活動をしている人はたくさんいます。弟子の演奏会を聴くことほどうれしいことはありません。

演奏活動は、赴任した年に東京、鶴岡市、米国フロリダ州レイクワースでリサイタルをしています。東京と仙台で１年おきにリサイタルを開くスタイルも、定着していきました。

87年には宮城フィルハーモニー管弦楽団（現仙台フィルハーモニー管弦楽団）の定期演奏会に招かれ、ベートーベンの「ピアノ協奏曲第３番」を演奏しました。指揮は手塚幸紀さんです。地元にプロのオーケストラがあるのは素晴らしいことだと強く感じましたね。宮城フィルが仙台フィルになってからも、グリーグやシューマンのピアノ協奏曲、ベートーベンの「ピアノ協奏曲第５番『皇帝』」などで共演しています。

＜浅野さんの演奏活動はさらに広がる。87年からはチェコを代表するカルテット「ヤナーチェク弦楽四重奏団」が来日する度に仙台で共演するようになった＞

ヤナーチェク四重奏団と初めて共演した時のプログラムはドボルザークの「ピアノ五重奏曲」です。世界的なカルテットと、彼らの「お国もの」を一緒にやるので緊張しましたが、多くの発見があって楽しかったですね。テンポとかフレージング（楽句の区切り方）とか、どんな要求をされても対応できるように、入念に準備をして臨みました。

東京で最初のリハーサルをした時はさすがに緊張しましたが、スラブ系の歌い方をすごく感じました。僕の意見に結構同意してくれたので、通じ合えた気がしてうれしかったですね。本番になると、当たり前のことですが、それぞれの主張が強く出て丁々発止という感じでした。音楽のめりはりがステージに立つと強まるのは新鮮な体験でした。

ヤナーチェク四重奏団とはその後２００５年まで計９回共演し、シューマン、ブラームス、フランクのピアノ五重奏曲などを演奏しました。その間、何度かメンバーチェンジがあり、音楽もその度に少し変わりましたが、長年一緒にやっていると、黙っていても分かり合える部分が出てくるんですね。

リサイタルでプロコフィエフの「ソナタ第６番」などを演奏した浅野さん＝1988年12月、仙台市の電力ホール

９回目にまたドボルザークの五重奏曲をやった時は、全身で楽しむことができました。海外での演奏機会も増え、90年以降、米国ローレンスのカンザス大やイタリアのリエーティでのリサイタル、ワルシャワで妻（ピアニストの純子さん）とのジョイントリサイタルなどを開いています。

◇協奏曲や後進の指導に力

＜１９９０年代になると浅野さんはオーケストラとの共演に一層積極的に取り組む。94年10月にはベートーベンのピアノ協奏曲全５曲を２夜にわたって演奏し、大きな反響を呼んだ＞

仙台フィルに加え、アマチュアオーケストラの演奏会によく招かれるようになりました。仙台ニューフィルハーモニー管弦楽団や宮城教育大管弦楽団とラフマニノフの「ピアノ協奏曲第２番」、チャイコフスキーの「ピアノ協奏曲第１番」などを演奏しています。

アマチュアとは時間をかけて一緒に作り上げる楽しみがありますね。練習を重ねるほど団員の集中力が高まり、頼もしく感じます。

94年２月にはポーランド・カリシ市でカリシ・フィルハーモニーとベートーベンの「ピアノ協奏曲第４番」を演奏しました。ヨーロッパのオーケストラの歴史を感じさせる響きに包まれ、幸福なひとときでした。

この年の秋にはベートーベンのピアノ協奏曲全曲の連続演奏会に挑みます。仙台市市民文化事業団から話が持ち込まれたんです。2夜にわたって全5曲を弾きました。管弦楽は何度か共演していた宮城教育大管弦楽団にお願いしました。指揮は教授の渡部勝彦さん。プロのエキストラも加わりました。

1週間の間に1人で全曲を弾くなんて、全国的にも聞いたことがありません。準備に加え、体力的にも大変でしたが、曲の素晴らしさに助けられて乗り切れた気がします。学生は随分苦労したと思いますよ。長期にわたって真剣に練習し、全力でやってくれました。

全曲をやるといろんなものが見えてきます。3番の新しさは、1、2番をやって初めて分かります。聴衆もまとめて聴くことで、たくさんの発見をしてくれたのではないでしょうか。

＜浅野さんは引き続き幅広い活動を展開。2012年に宮城学院女子大を退職し、ピアノ研究所を設立した。連弾、2台のピアノのための作品などの演奏にも力を入れるようになる＞
1996年に来日したレニングラード管弦楽団とチャイコフスキーの1番で共演します。宮城県大河原町えずこホールのこけら落としでした。オーケストラから、ロシアの大地を思わす力強いリズムを感じましたね。僕も思い切った演奏ができ、団員たちが「マエストロ、素晴らしかった」と喜んでくれました。
他にも仙台モーツァルト協会例会で5年かけてモーツァルトピアノソナタ全曲演奏、妻（ピアニストの純子さん）との連弾作品全曲演奏などをしています。
2012年に宮城学院女子大を定年退職し、13年に「館ムジカ」（ピアノ研究所）を立ち上げます。

リサイタルは、大学の仕事が忙しくなり、04年の東京を最後に休止していましたが、16年に再開しました。妻や教え子と連弾、２台のピアノのための作品などを演奏する機会も増えていきます。

指導は大学ではカリキュラムに従わざるを得ない部分がありましたが、今は弟子の力量、状態に合った教え方ができます。音楽を楽しむことを意識し、余裕を持って取り組めるようになりました。「何事も焦るな。教育は忍耐が必要だ」というミケランジェリ先生の言葉を思い出します。

「研究、指導、演奏」のスタイルを柱にしている今が、音楽人生で一番楽しいかもしれません。今でなければできない表現が、間違いなくあるんですよ。ピアニストとして、生涯現役を貫くつもりです。

（聞き手は須永誠、２０１９年１月16日～２月20日掲載）

宮城教育大管弦楽団とベートーベンのピアノ協奏曲を演奏した浅野さん＝1994年10月、仙台市青年文化センター

作曲家・指揮者

岡崎　光治さん

「東北の風土と、そこに住む人々の心の彩りが自分の創作活動を突き動かしてきた」。仙台市の作曲家・指揮者の岡崎光治さんは言う。器楽曲からオペラ、電子音楽まで幅広い作品を手掛け、東北の作曲界をけん引。指揮者としても重要な足跡を刻んできた。これまでの活動などを振り返ってもらった。

おかざき・みつはる　1935年生まれ。東北大教育学部音楽専攻科卒。日本作曲家協議会会員。日本電子音楽協会理事、仙台放送合唱団音楽監督などを歴任。主な作品にオペラ「鳴砂」、カンタータ「魂の坑道は果てしなく」、混声合唱組曲「幻の祭り」、男声合唱組曲「心に翼を」など。2018年12月6日死去。

◇恩師が後押し、音楽の道へ

＜岡崎さんは旧満州（中国東北部）で生まれた。満州国の首都・新京（現・長春）の小学校で学んだが、徐々に戦況が悪化。10歳で終戦を迎える＞

生まれたのは朝陽という町で、3歳の時に新京に移りました。父は満州国軍の特務機関に所属していましたが「中国から日本人は多くのことを学んだ、中国人に失礼なことをするな」とよく言っていました。戦時中も、満州の人たちとの関係は良かったと思います。

終戦を迎えた時は、母と妹と３人で奉天（現・瀋陽）の郊外に疎開していました。ラジオも何もなく、情報が全くなかった。突然、集団自決用の刀や拳銃を渡されたことを覚えています。結局、自決の指令は取り消され、父も戻ってきましたが、ソ連軍や八路軍（中国共産党軍）などが入ってきて、状況は二転三転しました。

特に、ソ連軍は日本人にひどい仕打ちをした。大人の男がいれば連行する。父は満州の人たちがかくまってくれたので、抑留されずに済んだんです。１９４６年の８月に引き揚げを始めましたが、長崎・佐世保に着いたのは10月末でした。

音楽との出合いや作曲、指揮活動への思いなどを語る岡崎さん

福島県会津地方の母の実家で一冬過ごし、47年春に父の仕事の関係で今のいわき市に落ち着きました。小学校の６年に編入したんです。

＜自由な時代が訪れ、好きだった音楽に打ち込めるようになる。工夫して楽器を作り、作曲をした。高校時代の恩師との出会いが音楽の道へ進む契機になる＞

父が浪花節からベートーベンの交響曲、オペラまでSPレコードをたくさん持っていたので、音楽は物心ついた頃から聴いていました。小6の時に、音を出す物がなかったので、束ねたストローと風船を使い、笛のような楽器を作りました。この楽器を使って初めて作曲したんです。遊びのようなものでしたけれど。

中学では演劇部に入れられました。顧問の教師に言われ、劇で使う音楽を作りました。磐城高に入学し、若松紀志子先生に出会ったことが、音楽の道に進むきっかけになったんです。

小学1年の頃の岡崎さんと妹の比佐子さん＝中国・新京

若松先生は東京芸大のピアノ科出身。ピアノの個人レッスンを受けました。国立音大の合唱の講習会にも連れて行ってくれた。僕はピアノが下手で恥ずかしかったのですが、そのせいか先生は全曲をきちんと弾けと言わず、弾きたいところを弾かせてくれたんです。

モーツァルトのソナタの1楽章とか、ショパンのマズルカやワルツ、ベートーベンの変奏曲の一部とか、つまみ食いもいいところでしたね。ただ多くの曲を弾き、曲のエッセンスに触れられた。好きな部分には、作曲者の思いが凝縮していると、自分では思っています。もし全曲を弾けという指導を受けていたら、とても続かなかったでしょう。

音楽大への進学は親が許さず、54年4月に東北大の工学部に入学しました。若松先生は、東北大には福井文彦（作曲家、1909～76年）という先生がいるからと、紹介状を書いてくれた。音楽を学ぶ機会はあると考えてくれたんですね。

◇福井氏に実践的作曲学ぶ

＜東北大工学部へ進学した岡崎さんは、作曲家で同大で非常勤講師をしていた福井文彦さん（後に講師、宮城教育大教授）に師事し、作曲理論と指揮法を学ぶ。3年から教育学部音楽専攻科に移った＞

福井先生は東京と仙台を往復する生活でした。先生が第二教養部でピアノを弾いていると聞き、何度か訪ねてやっと会えたんです。夏の初めでしたね。福島・磐城高の若松紀志子先生の紹介状を手渡すことができ、弟子入りがかないました。

福井先生は当時、全国的に名前を知られていた仙台地方簡易保険局合唱団（仙台簡保合唱団）を指導していて、先生が宿舎にしていた保険局で教えを受けたんです。

先生がピアノを弾いて作る曲を書き取りました。眠くならないよう食事を制限するなどすさまじい仕事ぶりでした。曲を作ってこいというので持っていくと、直すのではなく、私の感性に不足している部分をどう補うか、どこを伸ばすかを考えてくれる方でした。

バルトークの曲を調べてみろ、ファリャの「三角帽子」の和音と楽器を分析してみろとか。こうしたいと思っている音色を見つけ出すきっかけになる、と言われました。実践的な部分を大切にした指導でした。

福井先生に音楽に専念すべきだと勧められ、２年修了で教育学部音楽専攻科の編入試験を受けたんです。合格はしたものの、試験官が、ひどい成績だとあきれていたことを覚えています。

音楽専攻科では非常勤講師だった熊田為宏先生（後に山形大教授、１９１３〜93年）にも師事し、オーケストレーションを教わりました。リムスキーコルサコフの「管弦楽法」を借り、手書きで写したこともあります。先生は作曲家、フルート奏者で、仙台放送管弦楽団、仙台放送合唱団の指揮者もしていました。この出会いが、後にＮＨＫ関係の仕事をするきっかけの一つになります。

＜岡崎さんは東北大男声合唱団に所属し、編曲や指揮を務める。指揮者としての本格的な活動が始まる＞

男声合唱は磐城高にもあり、指揮をしていました。東北大に男声合唱団があるのは知っていましたが、練習場所が分からず、入団したのは入学から１カ月近くたってからでした。男声合唱の響きには独特の魅力があります。なぜ、あれほど良いハーモ

北海道公演中の東北大男声合唱団メンバーと岡崎さん（中列中央）＝1957年7月、札幌市

ニーが生まれるのか。一種の快感でした。

1年の終わりの頃、福井先生が立ち上げた「仙台男声合唱団」に参加するため、しばらく東北大男声合唱団を離れたことがありましたが、仲間に演奏旅行に行くので編曲しろ、指揮もやれと言われ、復帰します。2年の終わりからは指揮者を務めました。

この頃よく演奏したのは定番の「月光とピエロ」など清水脩の作品や、宗教曲、ブラームスの「ドイツ民謡集」などです。ブラームスは響かせるのが難しく、苦労しましたね。

演奏旅行も行い、OBが住んでいた北海道の札幌市や釧路市に行きました。北大の寮に泊まったこともあります。旅行中はメンバーをどうまとめるかをいつも以上に考えなくてはならず、良い経験になりました。

男声合唱団の指揮を始めた頃は全くの自己流で、自分がいつも正しいと思っていました。無知な人間の恐ろしさです。福井先生と出会わなければ、自己満足を全身にまとった指揮者になっていたでしょう。

◇現代曲で合唱団の力磨く

〈1958年に東北大を卒業した岡崎さんは、放送のための作曲、編曲活動を本格化させる。65年には仙台放送合唱団の常任指揮者に就任した〉

大学4年の時から、ＮＨＫ仙台放送局制作の放送劇の音楽を作曲し、また、熊田為宏先生に依頼されて仙台放送管弦楽団のためのアレンジをしていました。舞台ものは好きだったですね。特に印象に残ったのは、仙台市の童謡詩人、スズキヘキさんとの仕事です。

ヘキさんの歌を使ったドラマを作るからとＮＨＫのプロデューサーに言われ、初めて会ったのは卒業前でした。一見風采が上がらない人でしたが、すぐに巨人だと思いましたね。物事にこだわらない、すてきな人でした。ヘキさんの詩は本当に素晴らしかった。

卒業後、ドラマの仕事が多くなっていくうちに、芸術祭参加番組を作ろうということになりました。そうして生まれたのが「古都千体村《せんたいむら》哀慕」です。ヘキさんの詩によるアカペラの混声合唱組曲で、仙台放送合唱団が歌いました。木下駒《きのしたごま》や七夕、古墳など古い仙台をテーマにした作品です。ヘキさんは「千体村」はあくまでイメージの中の村で、仙台だと思われたくなかったようですけれど。

65年5月に仙台放送合唱団の常任指揮者になり、その年の10月に、この作品が芸術祭参加番組としてＮＨＫで放送されました。翌年もヘキさんの詩による「幻の祭り」で芸術祭に参加しています。東北の祭りを題材にしたアカペラの混声合唱組曲で、僕の代表作の一つになりました。

＜仙台放送合唱団は日本人の作品、現代曲の演奏を柱に据え、独自の活動を展開していく。ポップスの演奏でも話題を集めた＞

仙台放送合唱団は、日本人の優れた合唱曲の紹介と現代曲への挑戦の二つを、活動の柱にしました。

日本の合唱団なら邦人作品をやらなければ意味がない。三善晃さん、間宮芳生さんらの作品を取り上げました。

現代曲は確かに難しかったですね。仙台は当時から音楽都市をうたっており、現代曲をやれないのでは情けないとの気持ちがありました。皆、死に物狂いで一緒にやってくれました。徐々に新しい作品に対応できるようになり、多くの作曲家が新作の楽譜を送ってくれるまでになったんです。

現代音楽にそこまで力を入れた背景には、やはり福井文彦先生の影響があったのだと思います。僕は68年から渡米し、しばらく合唱団を離れることになりましたが、復帰後も方向性は変えませんでした。

もう一つ、力を入れたのがポップスコンサートです。合唱団が力を付けてくると、自分たちが歌っているジャンル以外の曲を軽視する雰囲気が出てきた。演歌やフォークは音楽として一級品ではないと。これはいけないと思いました。

実際に取り上げてみると、うまく歌えないんです。作詞家がワンフレーズに込めた情感を深く理解できない。作曲家がそこで使った、ちょっとした音の揺らぎを感じ取れない。

初めはポップスを歌うことへの団員の反発もありました。でも

仙台放送合唱団第30回記念定期演奏会第2夜。指揮は岡崎さん＝1985年7月、仙台市の電力ホール

「何でポップスなんか」と思うところに、自分たちにとって大きな落とし穴があった。そこに気付いた時、合唱団は変わりました。どんな音楽に対しても、むき出しの心でタッチできるようになったんです。

◇宮城初の創作オペラ作曲

＜1960年代半ばになると、仙台市で現代音楽の創作活動が勢いを増す。岡崎さんは音楽家グループを結成するなど、こうした動きのけん引役となった＞

1966年に僕と今井邦男さん（尚絅学院大名誉教授）、佐藤泰平さん（後に立教女学院短大教授）の3人で合同作品展を開きました。これがきっかけとなり、3人に東京から仙台に活動の拠点を移していた片岡良和さん（作曲家）が加わり、また演奏家の参加を得て、仙台音楽家集団（SOS）を結成したんです。

現代曲の紹介をしていきたいと強く思ったんですね。今井さん、佐藤さんは日本の文化に対する優れた洞察力を持っていて、見習うことが多かった。72年にSOSの第1回作品展が実現しました。この頃、僕も片岡さん、今井さんも、単独の作品展を開いています。

やがて電子音楽を手掛けるようになります。作曲家は新しい音を求める気持ちが強いんですが、電子音ならいくらでも作り出せる。魅力を感じていたところ、日本電子音楽協会ができ、誘われて入会しました。

初めてコンピューターを使った作品は77年の舞踊音楽「土」です。モダンバレエ公演のために作りましたが、誤作動はするし、故障はするし、大変でした。曲の中で多くの音が必要になるのに、一つの音を作るのに1カ月かかることもありました。そうした過程で、音に対する自分の感覚が変わっていったんですね。

作曲活動は音を作ることの上になくてはいけない。何が足りないのか考えたら、空間を漂っている自分が求めている音をしっかり握りしめること、それが自分にとっての作曲活動だと思うようになったんです。

その後、本間雅夫さん（作曲家、当時宮城教育大教授）が主宰するＯＧＤ（オーゲーデー＝音楽の現代と伝統の会）に参加し、現代音楽の普及に力を入れることになりました。本間さんの並々ならぬ情熱に引きずられてやっていたようなものですが。

＜86年10月、岡崎さんの代表作の一つ、オペラ「鳴砂《なりすな》」が仙台市で初演される。宮城県で生まれた初の創作オペラだ。

オペラ「鳴砂」初演＝1986年10月、仙台市の宮城県民会館

かつて鳴砂の浜があった漁村を舞台に、複雑な人間模様などを描いた〉

仙台オペラ協会が10年目を迎えるのに合わせて創作オペラを上演したいと、83～84年ごろ、代表の小野浩資さん（当時宮城教育大教授）から話がありました。台本は仙台市の劇作家菅原頑さんで、指揮の星出豊さん（藤原歌劇団・日本オペラ協会指揮者）も早くから決まっていましたね。出演はオペラ協会会員、仙台放送合唱団、宮城フィルハーモニー管弦楽団（現・仙台フィルハーモニー管弦楽団）などいずれも県内の演奏家で、まさに地元で生まれた、地元の人の手によるオペラでした。

不可思議な2人の登場人物の存在、日常的な世界とそれを超越した世界の間で起きるさまざまな「波動」を、悲恋物語として書いたと、僕は思っています。頑さんは、もう少し社会的な要素を表に出したかったようですけれど。

作曲に当たっては、日本的な音素材を大切にしました。全編を通してさまざまな音素材をちりばめたわけですが、瞬間瞬間で理解できるような音楽作りを目指しました。どこまで伝えられたか分かりませんが、音楽家でない人もしっかり受け止めてくれたことを知り、うれしかったですね。

◇じん肺被害者の思い描く

〈岡崎さんは１９８７年に作曲家の本間雅夫さん、片岡良和さんと「グループ・トライオン」を結

成、現代音楽の普及に一層力を入れる。90年の「アジア音楽祭」開催にも力を注いだ〉

仙台現代音楽祭、アジア作曲家フォーラム・仙台が87年に仙台で開かれ、それぞれ本間さん、片岡さんが中心的な役割を果たしました。本間さんは真摯《しんし》に音楽を追い求める人、片岡さんは音楽を受け取る側の気持ちを大事にする人。当初は相いれない部分があるように感じていました。

２人が手を組んで仕事をすれば現代音楽はもっと根強いものになる、その仲立ちになるのが自分の役目じゃないかと思いました。トライオン結成の理由です。

こうした動きが90年の「アジア音楽祭」開催につながっていったんじゃないかと思います。本間さんはアジアの現代作曲家の作品を紹介しながら座談会などをしたい、片岡さんは民族音楽にも幅を広げたいと考えました。両方とも生かし、アジアの民族音楽の日、アジアの作曲家の日、仙台の作曲家の日を１日ずつ設けたんです。他にセミナーからアジアの留学生らによる各国料理の屋台出店まで、幅広い内容になりました。

アジア音楽祭は92年、98年にも開催し、仙台が現代音楽の一つの拠点として注目されるようになったんです。音楽祭の運営は本間さん、片岡さんと僕の３人が中心になりました。本間さんは理論的な大黒柱、片岡さんは行政、財界などに働き掛ける力が強い。皆の力が一つになったからこそ実現したイベントでした。


〈95年に仙台電子音楽協会を結成、岡崎さんは代表として数々の作品を生み出す。一方で、じん肺

被害者を追悼する大規模なカンタータも作曲した∨

仙台電子音楽協会の第1回コンサートでは「クラリネット、シンセサイザー、コンピュータのための『六分儀』」という作品を発表しました。コンピューター音楽には必ず人の要素を入れたいと思っていたんです。生楽器で絡むとか、シンセサイザーで絡むとか。電子音楽は長く活動の柱でしたが、2011年3月の東日本大震災で機材のほとんどが壊れ、録音した音素材も失った。やめざるを得ませんでした。

1998年ごろ、いわき市の若松紀志子先生から、炭鉱で働き、じん肺で亡くなった人たちのための鎮魂曲を作ってくれないかとの話がありました。常磐炭田じん肺訴訟の原告らが企画したものです。詩は、何度か一緒に仕事をしていた仙台市の詩人、原田勇男さんにお願いしました。

一緒に取材に行くと、炭鉱で働いていた人たちが、「いつ死んでもおかしくない」「苦しむ姿を家族に見せるのがつらい」などと、事もなげに話してくれる。何が何でも作り、この人たちの思いに応えなければいけないと思いましたね。

カンタータ「魂の坑道は果てしなく」の仙台公演。指揮は岡崎さん＝2000年7月、仙台市泉区のイズミティ21

この「カンタータ『魂の坑道は果てしなく』」は7曲から成ります。2000年6月にいわき市で初演し、翌7月に仙台市でも演奏しました。僕が指揮をし、ソリストはソプラノの菅英三子さん（仙台市出身、後に東京芸大教授）とバリトンの勝部太さん、管弦楽は仙台フィルハーモニー管弦楽団。合唱団は、いわき、仙台両市から計160人が参加しました。

いわきの演奏会では涙ぐむ聴衆が多く、勝部さんは胸がつまって歌えなくなったと話していました。

◇震災の痛み受け止め活動

＜2001年以降、岡崎さんは、原田勇男さんの詩による作品「新世紀序曲『新しい時の渚《なぎさ》から』」「心に翼を」を相次ぎ発表する。10年にはオペラ「鳴砂《なりすな》」が24年ぶりに再演された＞

「新しい時の渚から」は、みやぎ国体のために作った吹奏楽と混声合唱のための作品です。2001年10月の秋季大会開会式で、自衛隊音楽隊や高校生による合唱隊など1000人以上によって演奏されました。

タイトルは原田さんならではの名文句ですよね。このフレーズに触れた時、メロディーや使いたいハーモニーがすぐに浮かびました。原田さんの詩は、普通の言葉を使っているのに、その言葉を組み合わせた時に出来上がるフレーズはすごくインパクトがある。まさに原田マジックですよ。

「心に翼を」は、東北大男声合唱団創立50周年の委嘱作品です。4曲から成る男声合唱組曲で、詩はやはり原田さんにお願いしました。テーマは未来に力強く羽ばたく若人たち。私の指揮で02年12月の第50回定期演奏会で初演しました。

「鳴砂」は、11年の新国立劇場（東京・渋谷区）の地域招聘《しょうへい》公演でやりたいと仙台オペラ協会から言われ、1年以上かけて全面的に改訂したんです。オーケストラパートはほとんど全て書き直し、浜の人が歌う曲の密度を濃くしたり、初演で使えなかった部分を復活させたりしました。

10年9月、仙台市での仙台オペラ協会の公演で24年ぶりに再演されました。11年7月の東京公演の準備をしているさなか、東日本大震災が起きたんです。

＜大震災は東北の音楽界に大きな打撃を与えた。予定された公演実現を危ぶむ声も出たが、関係者の強い気持ちで乗り切っていく＞

関係者を亡くし、ショックで歌うどころではない人もいました。東京公演はやれないんじゃないかとの声もあった。一方で、こんな時だからやらなくてはいけないと周囲を鼓舞する人もいた。最後は皆の思いが一つになって、公演を成功させることができたんです。

僕が指揮者を務める合唱団「萩」も11年5月のニューヨークでの演奏会を前に苦境に立たされました。日米交流合唱祭に参加するため09年に東北大男声合唱団ＯＢやその東京での合唱仲間、「魂の坑道は果てしなく」を歌ったいわき市の人たちなどで結成した混声合唱団です。渡航が危ぶまれましたが、団員の思いは強く、参加を決断しました。

カーネギーホールでの合唱祭は、震災を受けてチャリティー公演に切り替わりました。団員の思いが伝わったんでしょう。同ホールの合唱イベントで最上階まで客が入ったのは初めてだと関係者が言うほどでした。義援金350万円が集まり、仙台市に贈りました。

萩は11年10月に仙台市で報告公演を、13年1月にはいわき市でも演奏会を開きます。被災地の痛みを感じながらの公演になりました。14年にスペイン、16年にはベルリン、ワルシャワ公演も実現させます。「幻の祭り」を、しの笛や打楽器を加えて演奏しました。

現在は、萩の来年の東京公演のための混声合唱組曲を作っています。その後は、前から構想しているオペラを書きます。7世紀の東北を舞台にした悲恋物語です（岡崎さんの体調が悪化し、いずれも完成しなかった）。東北の作曲界では、若い人たちを含め、さまざまな新しい動きが出てきました。創作活動を続けながら、こうした動きを応援していきたいと思っています。

（聞き手は須永誠、2017年6月7日～7月12日掲載）

ニューヨークでの演奏会の報告公演に向けて練習する合唱団「萩」。指揮は岡崎さん＝2011年10月、仙台市青葉区

作曲家・指揮者

今井　邦男　さん

「常に新しいものを追求し、同じ所にとどまらないよう心掛けてきた」。仙台市の作曲家・指揮者の今井邦男さんは話す。歌曲や合唱曲を創作の柱に仙台の作曲界で長年にわたり存在感を示し、全国に通用する複数の合唱団を育ててきた。変わることのない音楽への思いなどを語ってもらった。

いまい・くにお　1942年生まれ。東北大教育学部卒。尚絅学院大名誉教授。全日本合唱連盟常務理事、宮城県合唱連盟理事長。グリーン・ウッド・ハーモニーなど6団体の常任指揮者。主な作品に無伴奏独唱曲「芭蕉のおくのほそ道」、混声合唱組曲「挽歌」、歌曲集「喪の種族」など。2018年度河北文化賞受賞。仙台市泉区在住。

◇高校で男声合唱と出合う

＜今井さんは中国・大連で生まれた。太平洋戦争の戦況が悪化する中、2歳の時に帰国。中学卒業まで宮城県須江村（現石巻市）で過ごす＞

父親は満鉄（南満州鉄道）の社員でした。旧制中学時代から個人レッスンで声楽やピアノ、作曲を勉強していて、団員200人の満鉄合唱団の指揮をしていたんです。体を壊して退社し、1944年の初夏に帰国しました。戦況は悪化する一方で、下関に引き揚げる時に乗った船は、釜山への帰路に爆撃を受けて沈没したそうです。今考えると運が良かったんでしょうね。

父の実家がある東京にしばらくいて、その年の冬に須江村に移りました。祖父が一時、旧制二高（現東北大）の教授をしていて、須江に家を持っていたためです。祖母は秋田県初の音楽教師で、結婚前は秋田師範学校（現秋田大）に勤めていました。父が音楽に興味を持ったのは、祖母の影響だと思います。

音楽との出合いは父を通してです。父は帰国当初は寝たきりでしたが、回復した後は河南高で音楽の非常勤講師をしていました。自宅で音楽学校に進みたい高校生の受験指導をしたし、僕の母校、須江中の校歌も作曲したんです。僕は小学生の頃から、父が大連から持ち帰ったピアノを弾いたり、たくさんあったＳＰレコードを聴いたりしていました。中学に入ってからは、父がピアノや作曲を教えてくれました。

作曲家、指揮者としての活動や音楽への思いについて語る今井さん

＜今井さんは仙台二高に進学、仙台市の下宿先で１人暮らしを始める。初めて本気で音楽に取り組んだのは高校時代だった＞

男声合唱にのめり込んだ高校時代でした。合唱部に入り、朝から晩まで友達と一緒にいて合唱中心の生活でしたね。田舎の中学から出てきて、ハーモニーに飢えていたんです。自覚してピアノを弾き出したのも高校に入ってからです。

合唱は2年の時に副指揮者をし、3年で正指揮者になりました。当時二高はNHKのコンクールで毎年、宮城県代表になっていました。男子校なのでレパートリーは男声合唱曲。ヨーロッパのものや清水脩、多田武彦の作品などを歌っていました。楽譜はガリ版で手作りしたものも多かった。父が持っていたドイツの合唱曲集「リーダーシャッツ」などを借りて、写譜して刷っていました。

ラテン語の「ドミネデウス」(神なる主)で全国大会に出場したこともあります。ルネサンスポリフォニーの作品で、高校生の男声合唱の指揮者がこんな曲を選ぶのは珍しい。本能的に飛びついたのでしょうか。仙台市や塩釜市の高校生を集めて「仙塩地区高校合唱祭」も立ち上げました。

コンクールでは、音楽の非常勤講師だった西内ミエ先生(声楽家の佐藤ミエさん)がいつもピアノの伴奏をしてくれたのが貴重な体験でしたね。卒業を前に自分の将来を考えた時、ずっとピアノを弾いていたいと思ったことが、音楽を志すきっかけの一つになったんです。

仙台二高2年の頃の今井さん=同高合宿所前

◇2人の師に基礎、実践学ぶ

＜今井さんは1961年4月、東北大教育学部（音楽専攻）に入学、作曲家の福井文彦さんらの指導を受ける。同時に作曲家の高田三郎さんにも師事し、東京へ通った＞

本当は東京芸大を受験したかったのですが、音楽の勉強を始めたのが遅かったのでとても無理ですよね。東北大で学んだ後に芸大を目指そうと思ったんです。先生方もそうすればいいと、勧めてくれましたので。

入学してから福井文彦先生の話を聞く機会はありましたが、直接指導を受けたのは3年からです。高田三郎先生には、1年の頃から教えてもらいました。音楽教育を担当していた渋谷伝先生が高田先生と親交があり、紹介してくれたんです。月に1、2回夜行列車で東京に向かい、高田先生の自宅に通いました。

高田先生にはまず和声学と対位法を、途中から作曲を教えてもらいました。先生は教科書は使いません。例えば和声のいろんな規則を説明し、書き取らせる。レッスンが終わると一冊の教科書ができているわけです。

作曲では、作品を書いていくと、「まず俺に弾かせろ」とピアノで音にし、細かく直してくれる。一つの課題を徹底的に突き詰めろとか、全身全霊で取り組んだものを持ってこいと言われました。妥協せずに自分の音を拾っていくことを学びました。僕を音楽の深みに連れて行ってくれたのは高田先生です。できる限りの努力をさせるという先生の態度、指導法は、僕も受け継いでいると思います。

＜福井文彦さんには作曲に加え、合唱の指揮・指導や、作品を作って実際に演奏するまでの過程など、「音楽的な実践」を学んだ＞

福井先生は1年の頃から話を聞き、影響を受けていました。直接指導を受けてみると、あまり細いことを言わず、こちらが何をしたいかを尊重してくれる人でした。先生がいつも創作をしていた時代で、背中を見て学んだところがあります。先生はモチーフの作り方をすごく大事にしていて、その辺の指導は厳しかったですね。

指揮法を初めてきちんと教えてくれたのも福井先生でした。仙台放送合唱団の指揮をしていたので、合唱指導の現場にも立ち会いました。一番大きかったのは先生の作品をいろんな合唱団が演奏するまでの過程、音楽的実践の場に僕らもいたことです。先生が重視した日本語の子音の扱い方をどうするかという課題についても、実践を通して自分なりの解答を見つけられたと思っています。

東北大の学生セミナーに参加する今井さん（正面右端）＝1964年、仙台市の東北大教育学部

作曲では、合唱曲を書いていました。わらべ歌を素材に、あまり加工せずに組み合わせる手法を用い、どうすれば音楽的な効果を上げられるかを考えていましたね。卒業作品の「宮沢賢治の詩によるコンポジション」は、わらべ歌そのものの旋法や、一種のオスティナート（一定の音型を何度も反復する技法）を主に用いた作品です。

ピアノに夢中になり、バッハに目覚めたのも大学時代です。3、4年の時、バッハの作品と真剣に向き合ったことは大きな収穫でした。指導してくれたのは大泉勉先生（宮城教育大名誉教授）らです。卒業演奏はバッハの「半音階的幻想曲とフーガ」でした。

◇教育の傍ら創作にも本腰

＜東北大を卒業した今井さんは音楽教育活動をスタートさせる。大学合唱団の指揮にも力を入れ、各団体のための作品を作曲した＞

1965年3月に東北大を卒業、4月から仙台市立女子高（定時制、現仙台大志高）教諭となり、音楽を教え始めました。67年から三島学園女子短大（現東北生活文化大）、71年には尚絅女学院短大（現尚絅学院大）の講師となります。

市立女子高の生徒は働きながら来ているので、看護師とかキャリアのある人も多かったですね。音楽は週18時間担当したので授業ばかりしていた感じです。歌うことがメインで、教科書以外に当時盛んだった歌声運動の歌も使いました。みんな本当に歌が好きでした。

三島学園は保育科を作るというので行ったら認可されず、体育科で教えました。合唱団を指導し、創作ダンスの音楽なども書きました。東北大を中心に大学の合唱団が集まった「七声会」の合同公演も毎年のように指揮していました。

大学4年の時から東北大女声合唱団の常任指揮者を務め、卒業後は東北学院大キャロラーズの常任指揮者も兼ねていたので、女声合唱曲をたくさん書きましたね。東北大女声のための「マリンバと女声合唱のための『ふるさと』」は仙台市の詩人佐々木洋一さんの詩です。この頃書いた仙台一高合唱団の委嘱作「挽歌」(詩・吉本隆明)は後に混声合唱曲にしました。僕の合唱の代表作の一つです。尚絅の保育科に移ってからは嵐のような毎日でした。保育科は音楽が大事だし、ピアノの指導もしました。

＜忙しさが増す中、創作活動にも一層力を入れる。作曲家グループに加わり、数々の作品を発表した＞

大学の先輩で作曲家の岡崎光治さん、佐藤泰平さんに誘われ、66年2月に3人で作品発表会を開きました。その頃は非常に珍しい試みだったし、多くの人が興味を持ってくれましたね。

個人的には学生時代のような乗りもあり、宮沢賢治の詩による「屈折率」「鳥」など女声合唱曲7曲を発表しました。大先輩と同列に見てもらい、得した感じがしましたね。私の作品はまだ稚拙なものでしたが。

　その後、東京から仙台に戻った作曲家の片岡良和さんを交え、4人で仙台音楽家集団（SOS）を結成。72年11月に第1回発表会を開きます。僕は「フルートとピアノとチェロのための作品」を発表しました。作曲家の三善晃先生がフランス留学から帰って間もない頃。三善先生の曲は衝撃的でした。

　そんな三善作品の影響が大きい、フランス的な作品です。

　SOSにはピアノの大泉勉先生、バリトンの小野浩資さんら演奏家も加わり、74年1月に第2回、75年6月に第3回発表会を開きます。　第3回では歌曲集「喪の種族」を発表しました。　鈴木漠さんの詩に感動して書いた作品です。

　漠さんの詩は言葉の選び方が鮮烈で、難解だけれど特有のリリシズムがあるんですよね。

　76年2月には初の個展（作品展）を開きました。　保育科の教員だったので子どものための詩による作品がたまり、まとめて発表したんです。ジェームス・カーカップの詩による歌曲集「動物誌」は、バリトン、ユーフォニウム、ファゴット、ピアノのユニークな編成で、注目されました。

岡崎さん、佐藤さんと開いた作品発表会で解説する今井さん。演奏は東北大女声合唱団＝1966年2月、仙台市東一番丁

◇留学で音楽の見方広がる

＜今井さんは1974年1月、仙台市の混声合唱団「グリーン・ウッド・ハーモニー」の指揮者に就任。合唱指揮者として新たな一歩を踏み出した＞

グリーン・ウッド・ハーモニーは1948年設立の歴史のある合唱団で、指揮者になる前に、委嘱されて「出港」「九つのわらべ歌」の2曲を書いていたんです。前任の指揮者が仙台を離れることになり僕が就いたのですが、その条件は全日本合唱コンクールに出ることでした。

当時、大した実績もないのに「僕は作曲家だ…」と、どこかで合唱指揮を一段低く見ていました。東北大会の金賞などすぐ取れると思ってましたね。若さとはいえ、全くばかでした。

宮城県代表にはなっても、東北大会では2年続けて銅賞にも入らない。2年目はブルックナーの「モテット」を用意して本気で挑んだのに全く駄目。力のなさ、才能のなさを感じ、打ちのめされました。でも、投げ出さなかった。負けて合唱の深さに気付き、本気で勉強しようと思ったんです。どんどん合唱が好きになっていったのかな。3年目に突然金賞を取り、初めて全国大会に行きました。

男声、女声は少し知っていましたが、混声のことは当初ほとんど知りませんでした。正統的なクラシックの合唱曲に加え、現代の日本の曲も演奏しました。高田三郎先生の作品が日本中でブームになっていった頃です。ルネサンス・ポリフォニーにも見よう見まねで取り組みました。合唱の基本だと聞いたからです。

76年には尚絅女学院短大ＯＧによる合唱団「六月の歌声」が結成され、常任指揮者になりました。当時はまだほとんどなかった、少人数の室内合唱団です。

＜今井さんは78年7月から79年9月まで英国に留学する。ケンブリッジ州立工芸大音楽学部で指揮法や合唱、チェンバロを学んだ＞

よく知らないルネサンスの音楽を本家本元の英国で学びたいと思ったんですね。特に興味があったのはウィリアム・バードです。授業でも合唱があったし、大学の合唱団にも入りました。英国の良いところはルネサンスの音楽も現代音楽も毎日お茶を飲むのと同じように楽しむこと。古いものも新しいものも、当たり前のレパートリーなんです。

指揮法、楽曲分析、チェンバロなどを学び、音楽のありよう、レッスンの仕方など多くのことを知りました。どうやって音楽と共に生きるかとか…。音楽への対し方、音楽の見方がすごく広がったと思います。

留学前に仙台で合唱指揮を教えてもらう機会があったドイツの指揮者ヘルムート・リリングさんが当時フランクフルト

今井さんが帰国後初めて指揮したグリーン・ウッド・ハーモニー第28回定期演奏会＝1980年7月、仙台市の電力ホール

音楽大の合唱指揮科の教授で、同科学生の合宿に参加したこともあります。リリングさんには「なぜ俺の所に来なかったのか」と叱られましたが、貴重な体験でした。

帰国後はグリーン・ウッドでペンデレツキの「アニュス・デイ」など、欧州の現代作品を積極的に取り上げます。学んだのは古楽なんですけれど、現代の音楽に触れる機会が多かったし。グリーン・ウッドは昔から、人がやってないものをやるのが好きなんですよ。

僕はこの合唱団の雇われ指揮者ですが、すぐに一緒に新しい世界を切り開いていく相棒のような存在に変わっていったんです。

◇仙台でバッハアカデミー

〈バッハをテーマに公開レッスンや演奏会を行う初の「仙台バッハアカデミー」が1986～88年、仙台市で開かれる。今井さんは企画段階から中心となり、実現、運営に尽力した〉

ドイツの指揮者でバッハ解釈の第一人者ヘルムート・リリングさんを呼んで東京でバッハアカデミーをやろうという話が盛り上がり、83～85年に開催します。

バッハの作品を課題曲にし、使用する楽器や声楽などのマスタークラスを開講。最後に参加者、講師が一緒に演奏会を開いて成果を披露する、リリングさん独特のシステムです。僕も3年間通って勉強し、カンタータや「マタイ受難曲」を分担して指揮しました。

資金的な問題で東京での継続が難しくなり、仙台で引き継げないかということになったんです。実現すればバッハを学ぶこれ以上ない機会になります。ただ、資金面や会場確保など、課題は山積していました。

そんな中、仙台バッハアカデミー協会（藤﨑三郎助会長）が設立され、経済界、音楽界、市民の態勢が整います。宮城学院女子大も会場を貸してくれました。僕は協会事務局長としてプロデュース、マネジメントを担当しましたが、多くの人が協力してくれ、ありがたかったですね。

86年4月にドイツから2人の講師を招いて初のアカデミーを開催。87年はリリングさんを音楽監督に迎えレッスンや演奏会を実施します。88年はリリングさんを中心に、シュツットガルト・バッハ管弦楽団やゲヒンゲン聖歌隊も招き、「マタイ受難曲」や「ヨハネ受難曲」を演奏しました。

＜初の仙台バッハアカデミーは仙台の音楽界に強い刺激を与えた。以後30年以上にわたって続いていく＞

終演後に泣きながら帰る聴衆がいるほど、演奏会は感動的で特別なものでした。講師の力は言うまでもありませんが、やはり音楽の深さなんですね。人間を本気にさせるバッハの力が魂を打ったのでしょう。マスタークラスも強い刺激となりました。僕自身がレッスンを受ける機会がなかったのは残念でしたけれど。

以後も毎年3～4人の講師を呼んで声楽や器楽のマスタークラスを開き、室内楽などを演奏します。

10周年の96年にはスイスの名指揮者ミシェル・コルボさんを招き、最後に「ミサ曲ロ短調」などを演奏しました。

ドイツ的なリリングさんとは違う、フランス的で柔らかく、流麗なバッハでしたね。出演はグリーン・ウッド・ハーモニーや仙台放送合唱団などを中心とする合唱団と仙台フィルハーモニー管弦楽団。仙台の音楽界にとっても意義深い演奏会になりました。ソリストやマスタークラス講師を務めたカトリン・グラーフさん（ソプラノ）、クルト・ビトマーさん（バス）らは、その後も仙台バッハアカデミーを長く支えてくれることになります。

２００８年には僕が協会の会長になりました。11年のアカデミーは開催中に東日本大震災が発生したんです。それでも12年3月にはウーベ・ハイルマンさん（テノール）のマスタークラスを開き、18年のビトマーさんのクラスまで、途切れた年もありますが続けています。

バッハアカデミーを契機に演奏団体や研究会が発足するなど仙台ではさまざまな動きが生まれました。今後もできる限り続けていきたいと思っているんです。

仙台バッハアカデミーのマスタークラスで打ち合わせをする今井さん（中央）、リリングさん（右隣）ら＝1987年8月、仙台市

◇難曲に挑み新たな世界へ

＜仙台バッハアカデミーの最初の３年間が終わり、今井さんは再び精力的に作曲を始める。作品展も開催し、多くの曲を発表した＞

英国留学前はかなりのペースで曲を書いていましたが、留学中から10年間、筆が止まりました。理由はよく分からないのですけれど。仙台バッハアカデミーが終わった途端に、作曲活動が復活したんですね。特に１９８８年は「渓流」など、友人や合唱団員らの結婚を祝う合唱曲をたくさん作りました。そんな合唱曲の頂点にあるのが「天狼《てんろう》」です。

「天狼」は僕が当時常任指揮者を務めていたグリーン・ウッド・ハーモニー、合唱団「六月の歌声」など五つの合唱団のために書いた五重合唱曲で、詩は鈴木漠さん、初演は90年です。五つの合唱団が歌い交わし、声部は18に分かれています。初演は総勢１５０人ぐらいでした。翌91年２月に開いた作品展（個展）でもメインに据えました。

五重合唱曲は、ルネサンス時代は別として珍しいですよね。かなり話題になりました。自信作ですが、規模が大き過ぎて、その後演奏できないのが残念です。オリジナルでの演奏は今でも手が掛かります。

尚絅女学院短大は89年に教授になります。留学から帰りクリスマスにヘンデルの「メサイア」を演奏したのがきっかけとなり、83年からオーケストラ付きの女声合唱曲で卒業演奏会をするようになりました。管弦楽は仙台フィルハーモニー管弦楽団（当初は宮城フィルハーモニー管弦楽団）。間宮芳生さん、団伊玖磨さんらの作品を含め、できる限りいろんな曲を取り上げました。僕が定年退職する２０１０年まで、28年間続けられたのは大きかったと思います。

＜今井さんが手塩に掛けたグリーン・ウッド・ハーモニーは飛躍的に成長し、全国でも指折りの合唱団となった＞

グリーン・ウッドは02年にバッハの「マタイ受難曲」を演奏したのが大きな転機になりました。規模が大きいし、技術的にも音楽的にも高い山に登るようなものですよね。勉強になったし、みんなで登り切った時は世界が変わったように思えました。ソリストを団員からも起用するなど、合唱団の特色も出せました。

この経験が08年のバッハの「ヨハネ受難曲」、12年と17年の「ミサ曲ロ短調」につながっていくわけです。何年かごとに大きな目標を立てて成し遂げる姿勢は、合唱団の成長の源泉になったかもしれません。

１９９０年代に入ってからは98年を除き、現在まで毎年

バッハ「マタイ受難曲」に挑んだグリーン・ウッド・ハーモニーの第50回定期演奏会＝2002年7月、仙台市青年文化センター

全日本合唱コンクール全国大会に出場しています（２０１８、19年も出場）。05年は文部科学大臣賞を獲得、初の全国1位になりました。グリーン・ウッドが何を選び、どんな演奏をするかが全国の合唱ファンの話題に上るようになりました。

17年からヒンデミットに挑戦しています。難解な作品が多く、過去にやった時は大変だった記憶しかありません。もう一度ちゃんと取り組みたいと思ったんです。また、ブラームスの「ドイツ・レクイエム」やモーツァルトの「レクイエム」、ハイドンの「天地創造」などクラシックの名曲を一つでも多くやりたい。合唱指揮者としての僕の目標でもあります。

「なぜ難しいものばかりやるのか」と言われますが、難曲だからこそ挑戦してきました。新しい世界を経験できるからです。難しくても良い作品を歌い、感動を届けたいと思います。

（聞き手は須永誠、２０１８年7月11日～8月15日掲載）

作曲家

片岡　良和 さん

管弦楽曲、合唱曲、バレエ曲など多彩な作品を世に送り出してきた作曲家の片岡良和さん。宮城フィルハーモニー管弦楽団（現仙台フィル）を創設して「楽都」仙台の基盤を築き、「アジア音楽祭」開催の中心になるなど、活動は作曲だけにとどまらない。浄土真宗の寺の住職を務めながら東北の音楽文化をリードしてきた片岡さんに、半生を振り返ってもらう。

かたおか・よしかず　１９３３年生まれ。国立音大作曲科卒。73年宮城フィルハーモニー管弦楽団を創設。74年宮城県芸術選奨、２０１２年度河北文化賞受賞。日本作曲家協議会会員。見瑞寺13世住職。仙台フィル副理事長。主な作品に「抜頭によるコンポジション」、バレエ音楽「飛鳥物語」、宮沢賢治の童話によるカンタータ「鹿踊りのはじまり」など。

◇中学時代、作曲の基礎学ぶ

＜片岡さんは、住職の父良研さん、母かつ子さんの三男として生まれた。自宅の見瑞寺《けんずいじ》（仙台市宮城野区榴岡）は、江戸時代初期の１６７３年から現在の地にある＞

寺は、ＪＲ仙台駅の東口から数百メートルの距離にあります。今はビル街ですが、小さい頃は、田んぼの向こうに駅が見えた。墓と墓の間を走り回ったり、ささやぶの中に陣地を作ったりして遊びました。墓のお供え物を食べてしまったこともあります。先頭に立つより、人の後ろにいて、けしかけるタイプの子どもでした。

父は遊び人で、競技かるたや囲碁に凝ったり、琴を弾いたりした。中でも尺八は、師範になったほどの腕前。夜、お寺で尺八の音が聞こえるのは気味が悪かった。洋楽は好きで、オーケストラ版「トルコ行進曲」（モーツァルト作曲）を蓄音機で繰り返し聴いていた記憶があります。

男ばかりの３人兄弟。皆、お経を読まされた。誰かが寺を継がなくてはならないと思っていましたが、当時は絵が好きで、絵描き志望でした。

「戦後、物はなかったが、好きなことはできた」と振り返る片岡さん＝仙台市宮城野区の自宅

＜榴岡尋常小学校から、梅檀《せんだん》学園（東北福祉大の前身）の中学、高校へ進む。美術部と児童クラブに在籍した＞

小学３年の時の担任教師が面白いことをした。授業の終わりに、オルガンで和音を弾き、何の和音であったかを当てさせる。正解した子は帰宅してよし、という決まりでした。おかげで基本的な和音はその時に覚えてしまっ

た。戦時中はドレミファソとは言わずに「はにほへと」。つまり「ドミソ」の和音は「はほと」と表現する。その癖が今でも抜けず、和音を「いろはに…」で言ってしまうことがあります。

中学の児童クラブでは、紙芝居作りに熱中しました。公園で子どもたちに紙芝居を見せようとしたら、進駐軍のジープがやって来て「この作品は検閲を受けていない」と中止させられたことがあった。紙芝居作りを通して、児童文化運動の富田博さんと知り合ったのもこの頃です。

自己流でオルガンを弾いたり、曲を作ったりすることもありました。たまたま隣の寺に作曲家の熊田為宏さん（後に山形大教授）がいて、作曲のことを話したら「基礎を学べ」と勧められ、一対一で和声学を教えてもらうことになった。引き続き東北音楽学校（仙台市若林区）で、作曲家の福井文彦さん（後に宮城教育大教授）からも学びました。教室では学校の教師ら大人と一緒なのですが、和声法の課題を与えられると、私だけすぐにクリアした。中学生の私は「何で大人は遅いのだろう」と不思議に思ったものです。

＜1951年、京都の大谷大に入学。仏教系の大学に進学したことで、実家の寺を継ぐことが事実上決まった＞

長兄は国家公務員となり、次兄も仙台を離れて仕事に就いた。寺を継ぐことは覚悟していました。でも、好きなことをやめるつもりはなかった。歴史を振り返ると、素晴らしい芸術作品を残した僧侶は多い。それに取り組む時間はあるはずだ、と思っていました。

◇作曲で生計立て大学通う

＜大谷大に進学した片岡さんは、仏教の勉強に励む。一方で、音楽の道へ進みたい気持ちが高まっていた＞

やるべきことはきっちりやって、余った時間に好きなことをする。それが私の性格です。大学２年で僧侶の資格を取得した後、仏教界に縁のあった作曲家・清水脩さんに師事しました。音大受験を決意、東京芸大を目指したが２次試験で落ち、国立音大の作曲科に入りました。１９５５年４月のことです。

当時、（実家の）見瑞寺は貧乏で、入学金や授業料を出せない状況でした。母は「どうか音大に合格しませんように」と念じていたらしい。京都から東京へ移り、学費や生活費は、自分で稼がなければならなかった。

すぐにアルバイトの声が掛かりました。文化放送のラジオ番組で、音楽の譜面を写す仕事でした。番組を担当していたのが国立音大出身の作曲家・神津善行さんです。「君、作曲科の学生なら編曲もやってくれないか」と頼まれ、編曲も手掛けた。

大谷大に入学し、同級生と学生寮の前に立つ片岡さん（右）＝1951年、京都市

徹夜で書き上げ、楽譜のインクが乾かないうちに本番を迎えるという修羅場を経験しました。

神津さんとの出会いをきっかけに、作曲の仕事も増えました。ＴＢＳラジオでは、昼のドラマの音楽を任され、オープニングとエンディングの曲のほか、劇中の音楽も書いた。１週間分の台本を読み、喜怒哀楽の場面に合う曲を作るんです。曲はどの部分からでも始められ、カットもできるという技術が必要でした。

ＣＭ曲も依頼された。雪印や旭化成だったな。当時のアイドルで、後にテレビドラマの水戸黄門でおなじみとなった高橋元太郎さんの歌も作った。軽音楽の仕事は、大学時代から卒業後まで続きました。収入は普通のサラリーマンより多かったはずです。

＜国立音大では、合唱曲の作曲家として名高い高田三郎氏が主任教授だった＞

最初の２年間、高田先生は、対位法だけを教えた。３年目にやっと作曲の授業となり、私も作品を書いたが、先生は何も言わない。「どうでしたか」と私が尋ねると、先生は「お前、それが書きたかったんだろう?」と言う。そのあとで「でも、俺はそう書かない」。それだけですよ。まるで禅問答のようでした。

要するに作品というものは、他人に教えることはできない。音を出させるのは、作曲者自身が責任を持たなければならない。作曲の厳しさを学びました。

卒業の時、高田先生は言った。「学校にいる時は、俺とお前は師弟関係。でも、いっぺん外に出たら生涯の敵だ。しっかりやれよ」。印象的な言葉です。

生活のために軽音楽を書いていましたが、クラシック作品も少しずつ書きためていました。自分としては、きちんと区別して考えていたつもりです。その中で、文部省芸術祭の一般公募に出していた合唱曲「冬の手紙」が、文部大臣賞に決まったのです。卒業式と同じ日に授賞式があり、卒業式には出ませんでした。

4年後、芸術祭参加作品をTBSから依頼され、私は交響曲「黒潮」を書いた。同じTBSから参加した合唱曲は、高田三郎さんの「水のいのち」でした。こんなに早く、先生と同じ舞台で仕事ができるとは。卒業時の先生の言葉がよみがえってきました。

編曲を担当した映画「御用聞き物語」（東宝）の打ち上げパーティーで。ネクタイ姿が片岡さん、左は女優の中村メイコさん＝1958年ごろ

◇雅楽や舞踊を曲に生かす

＜国立音大を卒業した片岡さんは、東京で新進作曲家としての歩みを始める。仕事をクラシック音楽一本に絞ろうと考えていた＞

仕事先で偶然、旧知の作曲家、山本直純さんと会ったことがありました。山本さんは、私が依然と

して軽音楽中心の仕事をしていると思ったのでしょう。「まだクラシックに未練があるのか。商業音楽だって、どっぷり浸らないとやっていけない。中途半端はよくない」と言った。でも私は、もう軽音楽から離れようと決めていました。

1960年代の初めに発表したクラシック作品に、管弦楽曲「抜頭《ばとう》によるコンポジション」(61年、東京放送賞)、バレエ音楽「飛鳥物語」(62年、芸術祭奨励賞)などがあります。

雅楽がモチーフの作品を書きたいと思っていた時、国立音大教授で宮内庁雅楽部の芝祐泰さんが、五線譜に直した雅楽の本を出版したという話を聞いた。本を入手しようと訪ねたら、芝さんは「教えるから通いなさい」と言う。半年間、毎朝7時から雅楽を伝授されました。「抜頭による—」は、そんな体験を経て、雅楽をオーケストラで表現したものです。

「飛鳥物語」の時は、実際にバレエ団の練習を見学することから始まりました。週3回の3カ月、これも朝早くからだった。舞踊の技術やリズムを覚え、感覚的に自分のものにする。バレエの多様な形式も厳密に頭に入れなければならない。その上で曲を書くのです。身も心も一つのことに没頭する大切さを実感しました。

<郷里の父の体調が思わしくなく、片岡さんは東京を離れる決意を固める>

父の体のこともあったし、寺を継ぐという既定路線もあった。でも東京を離れたかった本当の理由は、大都会が肌に合わなかったからかもしれません。今でも人混みは苦手です。東京で暮らすために

は、商品としての音楽を書くこともある。命を削るようにして書いても、結局何も残らない。ならば仙台でじっくり腰を据えてやろうと思いました。

とは言っても、放送局の仕事などが残っていたので、いっぺんに引き揚げるわけにもいかなかった。東京五輪（64年）の頃から数年かけて、仙台に重心を移しました。音楽仲間からは、なぜ東京を離れるのか、とよく言われたものです。


＜仙台に戻り、新たな音楽活動をスタートさせる。68年に舞踊家の籾江道子さんと結婚、翌年には長男良輝さんが誕生した＞

最初の仕事は、ＮＨＫのラジオ番組の曲を作ることでした。仙台放送局から依頼があり、「管弦楽のためのメタモルフォーゼ」というオーケストラ曲を書いた。仙台に帰ったということで、民謡の要素を盛り込んだんですよ。

ところが、仙台放送管弦楽団の演奏が始まると、自分のイメージする音や響きが出なかった。東京時代と同じ感覚でいた私はあっけにとられた。演奏技術のレベルが違ったのです。その時から、あるものが胸の中に膨らんできました。

仙台に戻り、放送局の仕事やアマチュアオーケストラの活動をしていたころの片岡さん＝1967年、平間新氏撮影

「仙台にプロのオーケストラを作らなければ…」という思いでした。

◇宮城フィル結成、指揮者に

＜1973年3月、宮城フィルハーモニー管弦楽団が結成される。片岡さんは常任指揮者となった＞

地域のもつ経済力、そして文化の力。その集約されたものがオーケストラです。仙台に戻り、この街にもオーケストラが欲しいと痛切に感じていました。結成に向け動いたのは、私と、仙台放送管弦楽団の堀江昭さん、川村文夫さん、常盤木学園高校教諭の菊池有恒さん。73年1月の寒い夜、私の家で最初の会議を開きました。

以前から、仙台で「メサイア」などの演奏会があると集まる演奏家たちがいた。彼らを中心に約30人がメンバーになりました。プロもいたが、ほとんどはアマチュアの演奏家だった。

法人ではなく任意団体としてのスタートでした。プロを目指していたが、山形交響楽団が社団法人で出発し、財政的に苦労しているのを知っていた。無理をしないで段階を踏んでいく道を選びました。

初めは町民音楽祭などの依頼演奏が多かった。あとは学校演奏会。当時は音楽よりも、運営面で頭がいっぱい。営業もやりました。仕事を取るために車で走り回ったので、今でも県内の道は詳しいですよ。

学校演奏会では、一つの特長を出そうとした。校歌をオーケストラ用に編曲して演奏するんです。

ピアノ伴奏しか聴いたことのない生徒たちは大喜び。編曲は慣れたものですが、訪れるすべての学校の分をやるのだから大変でした。

第１回定期演奏会は74年10月、宮城県民会館で開きました。ベートーベンの「運命」の演奏が終わった時は、ほっとしたと同時に「もう後には引けない」という思いに駆られたものです。

＜宮城フィルは78年に社団法人化し、プロのオーケストラとなる。83年には作曲家の芥川也寸志さんが音楽総監督に就任、飛躍の時代を迎えた＞

芥川さんが音楽総監督に就任するきっかけは、78年に結成したＪＦＣ（日本作曲家協議会）東北の演奏会でした。

ＪＦＣ東北は、私と伊藤俊幸さん（山形県余目町）、安達弘潮さん（弘前市）が東北各地の作曲家に呼び掛けて組織しました。東京から「東北は遅れている」と見られていることへの反発心もあった。東北の作曲家の作品を紹介し、活動をアピールしようとしたのです。その演奏会に、全国組織のＪＦＣ会長である芥川さんを招きました。

芥川さんとは若い時に東京で知り合い、私の作品を見てもらったりした。年を取ってからの付き合いと違って、ど

ＪＦＣ東北のコンサートに参加した作曲家たち。前列左から片岡良和、芥川也寸志、服部公一、後列左から熊倉一雄（俳優）、安達弘潮、伊藤俊幸の各氏＝1980年、弘前市

こか気安さがありました。コンサート「東北の作曲家」が開かれた時、宿泊先で芥川さんは、地方オーケストラの在り方を熱っぽく語り始めた。私が「そんなに言うなら（宮城フィルを）手伝ってくれますか」と言ったら、承諾してくれたんですよ。昔からの付き合いがなければ、私も芥川さんにそんなことを頼めなかったでしょうね。

その後、芥川さんは次の音楽監督に外山雄三さんを紹介してくれた。外山さんは初めは断ったけれども、89年に芥川さんが亡くなり、引き受けてくれることになった。同時に名称を仙台フィルハーモニー管弦楽団に変更します。「仙台フィル」の名を提唱したのは、ローカル性という特徴を重視した芥川さんでした。

◇日本人の感性生かし創作

＜片岡さんは１９６９年、仙台在住の作曲家、演奏家らと仙台音楽家集団（ＳＯＳ）を結成。新しい音楽の実践活動をリードする＞

仙台に新しい音楽を生み出そう、というのがＳＯＳのうたい文句。既成の曲は一切やらない。私や岡崎光治さん、今井邦男さんが作った曲をピアノの大泉勉さん、声楽の小野浩資さん、マリンバの草刈とも子さんらが演奏しました。資金がなく、小さな会場を借りた。今は音響などに注文を付ける人も多いが、当時は誰も文句を言わずにやっていた。

民俗芸能、中でも鹿踊りに興味を抱きました。遠野や水沢を歩いて調べた。地域ごとにリズムが違って面白い。太鼓が好きなんだなと自覚しました。その頃、NHKに頼まれて作曲したのが「宮沢賢治の童話によるカンタータ『鹿踊りのはじまり』」(74年、芸術祭優秀賞)。私の代表作の一つになりました。

＜アジア各国の作曲家との交流が深まり、仙台で「アジア音楽祭」開催を実現させた＞

東京で、台湾作曲家連盟会長の許常恵さんと知り合ったのをきっかけに、台湾で私の作品が紹介された。それ以降、香港やフィリピンを訪問する機会も得た。アジアの作曲家と交流する中、国境を超えた集いを仙台で開きたいと考えました。それが87年の「アジア作曲家フォーラム・イン仙台」、90年の「アジア音楽祭　東京―仙台」につながった。アジアの音楽が仙台に集結し、市民が直接触れた意義は大きかった。

アジア音楽祭で運営の中心となった作曲家は、私と本間雅夫さんと岡崎光治さん。87年に「グループ・トライオン」を結成した3人ですが、性格も作風もまるで違う。でも、違いがあって、互いの役割を信頼しているから一緒にできる。選曲は本間さん、演奏面は岡崎さんにお任せし、私は外部との折衝役を務めた。2人がいなければできなかった音楽祭でした。

＜2001年には仙台国際音楽コンクールが始まり、運営副委員長を務めた。作曲家と住職の「二足のわらじ」を超えた幅広い活動を続けていく＞

音楽家の感性だけで、他の組織と一緒に仕事をするのは不可能です。自分は音楽家であることを忘れる。前に押し出されることが多いのは、遠慮しない性格だから。浄土真宗には、相手によって態度を変えてはいけないという教えがある。だから、良い悪いを言える。昔から年寄りに好かれたのは、そのせいでしょう。

以前イタリアで、自分が心底、日本人であるという強烈な自覚をしたことがありました。音楽も西洋人と同じではなく、日本人の解釈でやっていいと思った。以後、自分の作品からは音の数が減った。抑揚という日本の感性を大事にしたのです。そう考えるのは、創作をする者だからでしょう。仙台フィルの指揮者には作曲をする人がふさわしいと考えました。日本人であることが体で分かる人に、若いオーケストラをまとめてほしい。芥川也寸志さん、外山雄三さんを選んだのは、そんな思いがあったからです。

これまで数え切れないほどの作品を書いてきましたが、一曲でも後の世に残れば本望です。親鸞上人が「浄土和讃」で、極楽の様相を描いた。木が茂って風が吹き、音や香りが自然に発せられる。静かな中にある環境こそ、最高の音楽ではないか。そう思うようになったんですよ。

作曲家と僧侶の二足のわらじを履く。仏事の合間に、曲の直しをする片岡良和さん＝1993年、仙台市宮城野区の自宅

◇震災で音楽の力を再確認

＜片岡さんは２０１０年代に入ってからも活発な音楽活動を続ける。11年3月11日の東日本大震災発生後は「音楽による心の復興」に力を注いだ＞

東北各地の作曲家に呼び掛けて結成したＪＦＣ（日本作曲家協議会）東北は、２０１０年8月に「30周年記念コンサート」を仙台市で開き、メンバー10人が新作を中心に発表しました。１９７９年の初のコンサートから数えて50回目の演奏会です。私は「清風宝樹をふくときは」を発表しました。代々浄土真宗の宗祖・親鸞聖人《しょうにん》の「浄土和讃」の一首を題材にした、唄と三絃のための作品です。浄土真宗の寺なので、親鸞は身内のような存在。いつか曲を付けたい、その教えを伝えたいと考えていました。分かりやすい作品になったと思います。

記念コンサートには当時ＪＦＣ会長だった小林亜星さんがトークで参加。『東北の作曲家』コンサートは、わが国における最もユニークな作曲家の活動として定着している」と高く評価してくれました。

音楽界にも深刻な打撃を与えたのが東日本大震災です。仙台市内の音楽事務所で打ち合わせを終え、帰宅途中に震災に遭いました。とんでもないことになった、立ち直るのに相当時間がかかるなと感じました。作曲家も演奏家も、どう対応するべきか深く悩みましたね。こんな時に音楽どころではないとの声もありましたが、こんな時だからこそ音楽で被災者を励ましたいと考えました。

震災から16日目の3月27日、自宅の見瑞寺境内のバレエスタジオで、仙台フィルハーモニー管弦楽団と仙台市民有志による第1回「復興コンサート」が開かれました。仙台フィルのメンバー約30人と仙台市出身のソプラノ歌手・菅英三子さん（東京芸大教授）らが出演。犠牲者を悼むとともに復興への祈りを込めた演奏会になりました。市民約１００人が訪れてくれ、泣きながら聞いている人もいましたね。音楽の持つ力をあらためて確認しました。大震災は私の作曲活動にも大きく影響しました。慰めとなるものや、立ち直る支えになるような曲を作らなければいけないと思うようになったんです。

＜片岡さんが創設に関わった仙台フィルは、地方オーケストラの雄として、ますます多彩な活動を展開。２０１８年に開かれた片岡さんの作品展では、代表的な管弦楽曲をまとめて演奏した＞

仙台フィルは外山雄三さんが２００６年に音楽監督を退任し、パスカル・ヴェロさんが常任指揮者に就任しました。ヴェロさんの手腕に加え、大震災を経験したことも仙台フィルが大きく変わるきっかけになったと思います。被災地のオーケストラとしての存在意義を問い直すことになりました。芥川也寸志さんが主張したローカル性の意味を、より深く考えるようになったと言えるでしょう。

13年には国際交流基金の要請でロシアのモスクワなど2都市で公演、震災後に寄せられた支援に感謝するとともに、日本文化を紹介しました。私もその場にいましたが、日本にこんな素晴らしいローカルオーケストラがあるのかと、皆が驚いていました。私たちの気持ちは確かにロシアの人々に伝わったと思います。

18年には飯守泰次郎さんを常任指揮者に迎え、新たな一歩を踏み出しました。ドイツ・オーストリア音楽への取り組みを強化するのが狙いです。仙台フィルとは同年4月、私の管弦楽曲を取り上げる「作品展」を、仙台市青葉区の東京エレクトロンホール宮城で開きました。演奏したのは「抜頭《ばとう》によるコンポジション」「伽陀《かだ》」「バレエ組曲『飛鳥』」など4曲です。創作年代により作風は異なりますが、聴衆に喜んでもらおうと考え、演奏回数が比較的多い作品を集めました。仙台フィルは予想以上に良い音を出し、作品に込めた思いをきちんと表現してくれました。トップクラスの地方オーケストラであることを示したと思います。

新しい音楽を発表するためにも地元にプロのオーケストラが必要だと思い、宮城フィル（現仙台フィル）を創設した当時の願いは完全にかなったと言えます。仙台フィルは大きく成長しました。今後は仙台フィルならでは特色ある音に磨きをかけ、個性、特性をより打ち出してほしい。地域に根差した個性、良い意味での田舎くささや野性味があってこそ、普遍的な音楽を生み出すことができます。もっと破れかぶれなところがあってもいいのかなと、この頃よく思います。

（聞き手は加藤健一、須永誠、２００３年9月9～25日掲載、20年6月に追加取材）

仙台フィルとの「作品展」で曲目などの解説をする片岡さん。左は指揮の岩村力さん＝ 2018 年 4 月、仙台市

作曲家

本間　雅夫さん

「自分の顔が見える作品を作りたい」。仙台市の作曲家、本間雅夫さんは言う。新古典主義的な作風からスタートした本間さんは、十二音技法を駆使した時代を経て、日本人の感性とざん新なサウンドを「一体化」させた独自の音楽世界を構築。日本の現代音楽の無個性化が指摘される中、存在感を示してきた。宮城教育大教授として音楽教育に尽力、地域における現代音楽の普及にも努めた。

ほんま・まさお　1930年生まれ。56年日大芸術学部音楽学科卒。54年日本音楽コンクール作曲部門室内楽の部第1位。在学中に作曲グループ「葦の会」を結成。74年仙台市に移り宮城教育大助教授、教授を歴任。同大名誉教授。主要作品に「ピアノのためのクロス・モード」「ピアノと管弦楽のための三章」「双響変成」「津軽方言詩と室内楽のための六章」など。2008年6月21日死去。

◇ギターが音楽への道開く

〈本間さんは日本海に面した青森県大戸瀬村（現深浦町）で生まれた。幼い頃の遊び相手はもっぱら海と山だった〉

五能線沿いの村で、夏の景色の良さは格別でしたが、冬の海は人を寄せ付けない厳しさがありました。荒々しい風景は今も強く記憶に残っています。

兄と2人兄弟で、家はかいわいでは知られた大地主。蔵の中にバイオリンや大正琴が転がっていました。おやじが若い頃に道楽でやったんでしょうが、実際に弾くのを見たことはなかった。全然、音楽的な環境ではなかったですね。民謡を直接聴いたことさえなかった。ただ、小学校で裁縫を教えていた母が、農繁期に学校に開設される託児所で足踏みオルガンを弾いていたのを覚えています。

音楽体験と言えば、小学5年生の学芸会の時のこと。新任の男の先生が担任となり、シューベルトの「菩提樹《ぼだいじゅ》」を三部合唱で歌わせたんです。当時としては画期的な試みでした。僕は唱歌を斉唱したことしかなかったので、なぜ別の節を歌わなければならないのか理解できませんでしたけれど。

音楽との出合いや作曲への思いなどを語る本間さん＝2000年2月、仙台市青葉区の自宅

また先生は何を思ったのか、僕ともう1人の子にはオルガンも弾かせたんです。オルガンは神聖な物で、普段は触ることも許されなかった。簡単な曲で、練習して何とか弾きましたが、田舎の小学校では前代未聞の出来事だったでしょう。先生は翌年、太平洋戦争が始まる１９４１年に海軍に入隊したため、合唱もオルガンもそれっきりでした。

〈1942年に旧制木造中学（現木造高）に進学、3年生の秋に大津市の陸軍少年飛行兵学校に進む。10カ月後の敗戦は、「素朴な軍国少年」の心に強い衝撃を与えた〉

終戦の時は信じられない思いでした。神の国・日本が負けるはずがないと教えられてきた15歳の少年にとって、体に染み付いた価値観と闘うのは大変でした。旧制中学4年に復学したものの、勉強は何も分からなくなっていて、不良化の一歩手前までいった。救われたのはギター、古賀メロディーと出合い、音楽に目覚めたからなんです。

母は僕が中学2年の時に病死しました。小学校の教師だった母の弟もレイテ沖で戦死、遺品の中に、文学書や哲学書などと一緒にギターがありました。疎開していた人の中に達者な人がいて、このギターで僕に「荒城の月」や、古賀政男の「酒は涙か溜息《ためいき》か」「影を慕いて」などを教えてくれたんです。ギターを弾くと皆がちやほやするので得意になる。これが西洋音楽の道に踏み込むきっかけになったんですよ。

中学卒業後は、小学校の分校の代用教員になり、3、4年生の複式学級を担任しました。オルガンも自由に弾けるようになったし、雑誌に載った動物の物語をオペレッタにして、子どもたちにさせたりもしました。

そうこうするうち、どうしても音楽を勉強したくなった。本校の校長室の百科事典を借りて、楽典の項目を死にもの狂いで勉強しました。ただ、どうしても音階論に関することが分からない。これではだめだと、青森師範学校を受けることにしたんです。

◇教師辞め音楽科に編入学

＜本間さんは1947年5月、青森師範学校本科に入学した。これが人生の方向を決定付ける＞師範学校は空襲で焼かれ、弘前市の城跡の中に移っていました。兵器庫を改造した赤れんがの堂々たる建物でしたね。

何よりうれしかったのは音楽の授業があったこと、そしてピアノが弾けることでした。男子部の1台しかないピアノは、けん盤の象牙《ぞうげ》ははげているし、鳴らない音もあるひどい代物でしたが、争奪戦はすさまじかった。朝から晩まで誰かが弾いている。そこで僕は授業のない時間を調べて前の時間から教室の入り口で待っていた。授業を終え、先生がおじぎをした瞬間にはピアノに座り、バイエルの練習を始める。ソナチネにまで進んでいる上級生ににらまれながら、ずうずうしく弾いたものです。

当時一番熱中したのは合唱です。入学して間もなく、校内の音楽会で混声四部合唱を初めて聴き、えも言われぬ美しい響きにひかれたのがきっかけでした。すぐ音楽部に入り、合唱狂いの日々が始まりました。

当時の音楽部は、夏休みや冬休みに県内の小学校を回って合唱やピアノ演奏などを披露していました。初の演奏旅行のときは、すごい特訓を受けました。「寝ながら歌っている」と言われるほど打ち込みました。

その頃まで僕は、楽譜は書いてある音をギターやピアノで出して覚えるためにあると思っていた。

楽譜を見ただけで歌う上級生は皆天才ではないかと、真剣に悩んだものです。でも特訓を受けるうちに、自然に視唱ができるようになった。2年になってからはすっかりリーダーになり、音楽会や演奏旅行を企画したり、また一般の合唱団に入って歌ったりと大忙しでした。豊富な合唱の経験は僕の音楽性の土台となりました。

＜師範学校を卒業した本間さんは五所川原市内の中学校の音楽教師となる。しかし、本格的に音楽を勉強するため1年で退職。日大芸術学部音楽科2年に編入学した＞

実は作曲家になるのは旧制中学を卒業した頃からの夢でした。和声は手当たり次第本を読んでいましたが、ほとんどが独学。プロになるための勉強は何もしてなかったんです。日大で音楽理論を教えている青森師範の大先輩がいると聞き、早速東京の自宅を訪ねて相談、受験を決めました。外崎幹二先生でした。

日大では2年編入と同時に作曲の基礎である和声と対位法を外崎先生から、後期は和声を貴島清彦先生から学びました。僕は初歩からのスタートで、同級生はずっと先に進んでいる。よく絶望的にならなかったと、われながら感心します。

貴島先生のレッスンではフランスの作曲家テオドール・デュボワの名著「和声学」が必需品でしたが、古本屋でも全然手に入らない。それで何人かの友達が持っていたのを次々と借りて書き写したんです。ノートの日付を見ると1951年9月21日に始めて52年3月19日に書き終わっている。皆驚いたりあきれたりしましたが、これは勉強になった。初めて本格的な作曲の世界に触れ、面白くて仕方なかったんですよ。

でも無理がたたって腰を痛めてしまった。治療のため青森に戻り、一時退学したんです。寝ている時に日大の友達が音楽コンクールの2次予選を通過したことをラジオで聞き、強いショックを受けました。

自分もやれるはずだと、回復後、青森市内の中学の教諭をしながら作曲を始めたんです。この時に書いた「弦楽四重奏曲第1番」が54年10月、日本音楽コンクール作曲部門室内楽の部の1位に入賞しました。

日大には55年に復学し、授業料を値切ったり単位を値切ったりして56年春卒業しました。総長賞をもらいましたが、コンクールに入賞し大学の名を上げたのが理由だったんです。

五所川原市で中学校の音楽教師をしていたころの本間さん（前列左から2人目）1950年秋

◇十二音技法使い卒業作品

〈1955年10月、本間さんは日大芸術学部の仲間と作曲グループ「葦《あし》の会」を結成。本格的な作

曲活動に入る〉

当時、日大の学生は芸大と肩を並べて日本音楽コンクールに入っていました。入賞、入選した6人で結成したのが葦の会です。黙っていたら作品を発表することはできない。自分たちで機会をつくるのが狙いでした。名前の由来は、群生して風になびきながらも、めいめいが自分の葦笛を吹こうということでした。

その頃、新作曲派協会（松平頼則、早坂文雄ら）、地人会（高田三郎、貴島清彦ら）、三人の会（黛敏郎、芥川也寸志、團伊玖磨）、山羊《やぎ》の会（間宮芳生、林光、外山雄三）などいろんな会があった。主義主張をもった会もありましたが、多くは発表のチャンスを求めていたんです。

葦の会の第1回演奏会は日大卒業後の1956年6月。僕はバイオリンソナタを発表しました。小泉文夫さん（音楽学者）の理論を参考にした初めての作品です。小泉さんは当時、NHK交響楽団の機関誌に「日本音階論」を連載していた。日本音階の構成原理を明らかにした小泉理論に触れたときは本当に驚き、感動しましたね。その頃の僕は、日本的な旋律を書こうとすると何だか中国風になってしまう。単なるドレミソラの五音音階でなく、独自の特徴があることに気付かなかった。それを小泉理論によって納得させられたわけです。

日大の卒業作品は十二音技法による「弦楽四重奏曲第2番」で、その後も実は、小泉理論よりむしろ十二音の世界に入っていったんですが、これは現代の音楽的な流れを身をもって体験し、また新しい手法を勉強することで自分を変えていく意味もありました。卒業作品に十二音技法を使ったのは日大で僕が初めてでしょう。音楽誌に連載されていた入野義朗さん（作曲家）の論文を参考にしながら、自分なりの考え方で書いたんです。小泉理論と十二音は、ともに僕の創作の基盤となりました。

＜本間さんは1958年4月、和光学園（東京都）の教諭となる。以後、作曲と並行して音楽教育運動に深く関わっていく＞

和光学園では高校・中学で音楽を担当しました。自由で、教育熱心な校風でしたね。僕が行った時、高1に三枝成彰（作曲家）がいました。目指したのは生徒の個性や実力に即した、自発性を引き出す教育です。翌年には民間の教育研究団体「音楽教育の会」（園部三郎会長）に入りました。日本人の音感、音楽性を大事にした教育の在り方を追求していて、わらべうたを出発点とする教育を提唱していたんですよ。

音楽教育の会は1965年ごろに辞めて、仲間5～6人と「新音楽研究会議」という独自のグループを始めました。その流れで67年にハンガリーへ調査研究に行くことになるんです。

ハンガリーでは、バルトークとコダーイが調査し「発見」した民謡、農民音楽の音組織などを基にした音楽教育が行われていました。声、特にマジャール語とか合唱を大事にした、「コダーイ・

作曲グループ「葦の会」を結成したころの本間さん（右）とメンバーたち＝1955年11月、東京

システム」と呼ばれる独自の教育システムです。1カ月ほど学校などを回り、録音や写真をとったりコダーイが作った教材を見つけたりしました。

特に刺激的だったのは民謡とハンガリー音階に基づいた合唱導入のための教材「ビチニア・フンガリカ」。ハンガリーの民謡は日本と同じで本来単旋律ですが、音楽的に高い水準にするには多声化が必要だとして二声化していった。その影響で僕は日本に帰ってすぐ、わらべうたを二声化する仕事に着手したんです。後に三声にするなど、複雑になっていくんですが、これは自分の作曲の土台づくりになりました。初めは教材として考えていたんですが、作曲家としての基礎の仕事をこれでした感じですね。

◇民俗性土台に表現法模索

＜本間さんは1974年4月、宮城教育大に赴任する。仙台市を拠点とする活動が始まった＞

宮教大に来るきっかけになったのは、音楽教育の会の活動でした。会員に宮教大の教授がいたこともあって、作曲の教師として呼ばれたんです。大学では音楽理論の基礎を教えたわけですが、今後の作曲活動は仙台を中心にしてやろうと、決心して来ました。

津軽から東京へ出て、やっと仕事ができるようになったのに、仙台に拠点を移すことは、僕にとっては大変なことだったんです。都落ちではないか、と言う人もいましたしね。でも、高校・中学の教員は忙しすぎた。「葦《あし》の会」のコンサートは1972年の第10回まで続いていましたが、会がなければ作曲をやめていたかもしれないほど、仕事に追われていたんです。とにかく作曲の時間が欲しかった。大学の教員なら時間が取れるだろうし、自分が住んだ所に根差した音楽活動をしたい、仙台ならそれができるだろうと考えたんです。

つまり、音楽というのは自分と自分を取り巻く仲間との中で成立する、ということです。自分の作曲活動を仙台、東北の人々とのつながりの中でやっていけば、自分も鍛えられるし、周りにも影響を与えることができる。東京の経験も生かせる。そんな思いから76年９月に設立したのが、「ＯＧＤ」（オーゲーデー＝音楽の現代と伝統の会）だったんです。

ＯＧＤの狙いは仙台、東北に基盤を置いた、新しい音楽の創造と普及ということでした。黙っていれば現代音楽の世界なんか出来上がりませんから。新しい作品を提示し、地元の人たちで演奏したり、時には人を呼んだりして、新しい音楽環境をつくりたいと思っていたんですね。演奏家にも聴衆にも現代音楽に慣れてほしかったわけです。

宮教大に来て最初に卒論の面倒を見た宮城純一君（作曲家）と２人で始め、若い世代の作曲展、20世紀の音楽展、現代作曲展と、次々と演奏会を開きました。仙台では聴けないものを経済的な事情が許す限りやったし、若い演奏家を育てるため「試演会」などもやりました。メンバーに岡崎光治さんや金井洋さん、そして石川浩、佐々木隆二の両君が加わり、最終的には作曲家６人のグループになったんです。

＜仙台を拠点に、本間さんの作曲活動は一気に加速する。ＯＧＤの活動に加え、個人の作品演奏会も積極的に開く＞

僕が十二音技法から脱皮したのは１９６４～65年ごろでした。代表作の一つである「津軽方言詩と室内楽のための六章」（１９６３年）は、室内楽の部分を十二音技法で書き、津軽弁の部分はアクセントの上下、リズムをすべて指定した作品でした。この後、十二音を離れ、日本の民俗的特徴を作品の中に盛り込む傾向が出てきたんです。

日本人の民俗的な感性は、日本語に由来すると僕は思っていますが、その民俗性を土台にしながら新しい表現方法を模索するというやり方です。仙台に来てから、そんな作風を充実させてきたと言えるでしょう。

ＯＧＤ（音楽の現代と伝統の会）主催の演奏会で解説をする本間さん＝1978 年 1 月、仙台市内

僕の一番の人気曲で、高橋悠治さん（作曲家、ピアニスト）のために書いた「ピアノのためのクロス・モード」（83年）も、民俗的な感性と新しい現代的なサウンドを組み合わせた作品です。言葉を伴った作品では、「ふし」に言葉を付けるのではなく、言葉が「ふし」になる音楽をと考えてきました。１９７０年から書き続けている「八月の歌」シリーズ（Ⅰ～Ⅷ）なども、現代の手法で、日本語の世界を大事に守りながらやってきました。

「八月の歌」はいずれも原爆をテーマとした詩による作品です。日本人として、特に戦後の思想的転換を経験してきた僕にとって、原爆は避けて通れない問題でした。作品を発表することで、１人の日本人、作曲家としての立場を表明してきたんです。82年にはそれまでにできていた「八月の歌」７曲をまとめて演奏する作曲展を仙台で開きましたが、すごい反響でした。

【注】「八月の歌」シリーズは２００５年のＸⅢ「永遠のみどり」まで続く。

◇「顔」が見える音楽を発信

＜本間さんが主宰するＯＧＤ（音楽の現代と伝統の会）の活動は、仙台、東北の音楽界に強い刺激を与えた。現代音楽の基盤が徐々に出来上がっていった＞

ＯＧＤは東北の各大学の教官の作品も、積極的に取り上げました。しばらくして片岡良和さん（作曲家、仙台市）らを中心に「東北の作曲家」シリーズ（後にＪＦＣ東北）という作品発表会が始まりますが、１、２年遅れて、僕らＯＧＤの関係者がこのシリーズに参加していった。つまり日本作曲家協議会（ＪＦＣ）会員になったわけです。こうした動きを通して、仙台の作曲の風土が出来上がっていきました。

１９８７年には、「仙台現代音楽祭'87」と「アジア作曲家フォーラム・イン仙台」という二つの現代音楽のイベントを仙台で開きました。作曲家団体には日本現代音楽協会（現音）と日本作曲家協議会があります。僕は両方ともやってますが、現代音楽祭は現音の協力で、３日間にわたって現音会員の音楽展や間宮芳生《みちお》さんの作品展を開いた。ＪＦＣはアジア作曲家連盟（ＡＣＬ）につながっており、仙台でのフォーラムが実現した。現代音楽の盛んな街にしようと活動してきたことが実を結んだわけです。さらに大きな成果が、１９９０年の「アジア音楽祭'90東京—仙台」でした。

当時のＪＦＣ会長は黛敏郎さん（故人）で、「仙台でやりたいから協力してください」と言ったら「それなら東京でもやりましょう」ということになって。前半が東京、後半が仙台という1週間のイベントが実現したんです。各国から多くの作曲家が参加しましたが、まさに「仙台発信」の音楽祭でした。仙台が力を付けてきたことが、全国的に知られるようになったんですよ。

ＯＧＤは１９９３年まで、17年間にわたって、30回を超すコンサートやレクチャーなどを開きました。でも、メンバーが皆忙しくなり、会の活動を持続するのが難しくなった。最後にシンポジウムとコンサートを併せた大きなイベントを開き、解散したんです。

＜本間さんは１９８５年の米国・クリーブランドの現代音楽祭を皮切りに、米国、韓国などの音楽祭に度々招かれるようになった。ヨーロッパを含め、海外で作品が演奏される機会はぐんと増えた＞

家内（ピアニストの赤城真理さん）の演奏活動を通しても、外国で紹介されることが多くなりましたね。大学などからもよく招かれますが、外国の方が反響が大きいというか、反応が率直なんですね。日本の伝統的表現を土台とした音楽を分かってくれます。

日本ではどうしても、民俗的なものを出すのは古いというニュアンスが、長いことつきまとっていた。西洋の最も進んだ形のものと肩を並べるような作品を、という発想です。ある意味では大事なことですが、それだけでは無個性というか、自分の「顔」が見えない作品になってしまう。顔とは日本人としての感性、音楽性、立場であり、土台にあるのは日本の伝統的な文化、そして日本語です。顔が見えることが、かえって普遍性につながるんじゃないかと、僕は思うんです。

ＯＧＤをやめた後、20世紀の音楽の面白さを知ってもらおうと、現代音楽に親しむ会（ＦＣＭ）という会をつくりました。こうした普及の運動も一面では必要ですが、やはり作曲家が中心となって、世界の最先端の音楽を仙台で紹介し、仙台から発信していくことが必要だと強く感じます。

東京と仙台のように、国内の中央と地方の関係でなく、仙台の音楽界が外国と直接つながることも大事でしょう。例えば、音楽が盛んな米国の地方都市で、仙台生まれの作品を仙台の演奏家が演奏すれば、きっと喜んでもらえるし、新しい発見をしてもらえる。見返りも必ずある。そんな文化の交流があってもいいし、なくてはならないと思うんです。そうした交流実現の力になれるように、やっていきたいと考えています。

（聞き手は須永誠、２０００年3月16日～4月20日掲載）

「アジア音楽祭」の打ち合わせを終え乾杯する（左から）間宮芳生さん、本間さん、秋山邦晴さん（音楽評論家）、黛敏郎さん＝1989年10月、東京

津軽三味線奏者

山田　千里さん

「同じ演奏を繰り返したら客を喜ばすことはできない。津軽三味線は、常に新しい方向を模索することで発展してきた」。山田千里さんは、こう言い切る。豊かな即興性と、激しさ、哀愁を兼ね備えたサウンド。津軽三味線は、歌の伴奏楽器にすぎなかった三味線の地位を、日本を代表する独奏楽器の一つにまで高めた。その第一人者である山田さんの演奏は、独創的な「前衛音楽」として、国際的に高く評価されている。

やまだ・ちさと　1931年生まれ。高等小学校修了後、福士政勝に弟子入りし各地を演奏旅行。39年、弘前市に津軽三味線ライブハウス「山唄」を開店。木田林松栄、高橋竹山らを追う新鋭として脚光を浴びる。51年のハンガリー、オーストリアを皮切りに世界各国で演奏、高く評価される。「津軽三味線・山田千里の世界」などレコード、CD多数。2004年4月12日死去。

◇終戦後、寝る間惜しみ練習

＜山田さんは農家の9人きょうだいの8番目、4男として生まれた。幼い頃から歌が得意で、人前でよく歌っていた＞

生まれたのは赤石村黒森（現青森県鯵ケ沢町）という所で、岩木山に連なる山中にある14軒の集落なんだよ。田畑は1町5反（約1・5ヘクタール）あったけど、山の中なのでコメはあまり取れなくてね。炭焼きなどをやっていた。

歌は幼い頃から好きで、5歳の頃には結婚式とか連れ歩かれて、津軽民謡を歌っていたんだ。おやじは酒を飲んだときしか歌わなかったけど、家には民謡や浪曲のレコードがたくさんあってね。蓄音機のぜんまいを巻きながら覚えたんだ。

3軒隣から山田周吉というプロの民謡歌手が出てね。天才少女歌手と言われ、レコードをたくさん出していた浅利みきと結婚したんだけど、2人で黒森に来たときは、大スターが来たと大騒ぎだった。

活動の拠点・津軽三味線ライブスハウス「山唄」で演奏する山田さん＝弘前市大町

黒森のすべての家で蓄音機を買うほどの大ブームでね。俺も周吉に憧れて、小学6年の頃には、いつかはプロになりたい、レコードを出したいと思うようになったんだよ。

＜三味線との出合いは13歳の時。ただ戦時中で、おおっぴらに弾くわけにはいかなかった＞

高小1年の時、うちに三味線があるのに

気付いてね。おやじに聞いたら、米一俵と取り換えたと言っていた。喜んでいじってみたんだけど、戦争中で三味線どころじゃない。何しろ学校では授業は2時間ぐらいしかなくて、あとはクワを手に畑を耕していた時代だから。終戦の年、高小2年の時から、見よう見まねで本格的に始めたんだよ。

終戦後、津軽は民謡ブームで、各市町村で若い人が一斉に始めたほどだった。お祭りに合わせて青年団や婦人会がよくコンクールを開いてね。俺は声変わりで声が出なくなったので、我流で歌手の伴奏をやって、コンクールに出ていた。

その頃はもう、プロになりたいと思っていたんだけど、どうやって練習すればよいか見当がつかない。村内に渡辺敏雄という門付けのボサマ（坊様、盲目の芸人）を1カ月も自宅に泊めて三味線を習う人がいて、そこへ出掛けていったもんだよ。ボサマが弾くのを見て、ああすればよいのかって覚えるわけだね。

＜プロになると心に決めた山田さんだったが、家族は三味線で生活できるはずはないと猛反対だった＞

終戦で、高小は2年で修了ということになって、炭焼きを手伝いながら、寝る間も惜しんで三味線を練習したんだ。

そんな様子を見ていた母親から「趣味ならいいけどプロになっては駄目だ。そんなのはホイト（こじき）のまねだ、飯も食えないで、みんなに笑われる」って、こんこんと説かれた。津軽三味線なんて、そんなイメージしかなかったんだね。長男は家を守る、「オンジカス」（弟たち）は手に職を付けなければ食っていけないから、大工かおけ屋になるのが一番だって言われたんだ。

15歳の時、津軽三味線の三羽ガラスの１人といわれた福士政勝が、母校の小学校に巡業に来てね。それを聴きにいったことがプロになるきっかけになったんだ。

◇福士一座経て民謡団結成

＜１９４６年の夏、福士政勝さんの演奏を聴いて感動した山田さんは、即座に福士さんに弟子入り、プロを目指して歩み始める＞
その頃、津軽三味線の三羽ガラスと言われたのは白川軍八郎（１９０９〜62年）、木田林松栄（１９１１〜78年）と、福士政勝（１９１３〜69年）だった。福士の演奏を聴いた時は、本当にしびれてしまってね。レコードで聴いていいなと思っていたんだけど、生で聴くのはもっともっと素晴らしくて、動けなくなってしまったほどだった。
本当は福士よりもたくさんレコードを出していた軍八郎か林松栄に弟子入りしたかった。でも、どこにいるのかさえ分からない。福士も同じだったけど、今は目の前にいる。この人に何とか弟子にしてもらわなければと思ったんだよ。
演奏が終わった後、頼むに頼めず楽屋の周りをうろうろしていたら、興行師が「兄さん、終わったんだよ、帰らないの」と声をかけてきてね。「三味線が好きか歌が好きか」と聞くから「三味線だ」と答えると、「じゃ行かないか」って言われて。今思うと荷物を運ぶ若い者が欲しかったんだろうね。

「じゃ、お願いします」ってことで、家出して一緒に行くことにしたんだ。

その日の夜は、家から8キロほど離れた民家を改造した劇場で公演することになっていた。一度家に帰ったが、両親とも田んぼから戻っていなかったので、三味線を持ち出して夢中で走った。両親は後で「逃げたな」と思っただろうね。

＜福士政勝一座と各地を公演して歩いた山田さんだが、「修業」は思うように進まなかった＞

五能線で深浦、能代から秋田市までずっと回ったよ。弟子入りしたからには早く三味線を覚えてレコードを出すのが夢なのに、全然教えてもらえなかった。「見て覚えろ」というわけなんだな。興行はほとんど夜しかなくて、舞台の袖で一生懸命に見た。昼間は先輩が寝ていて、三味線を弾けば「うるさい」と叱られる。夕方になれば町や村を回って、太鼓をたたいて興行の宣伝をしなければならない。とにかく三味線を覚えたくて覚えたくてねえ。聴いて良いと感じたところを頭に入れて、劇場の便所に隠れて、小さい音で練習したものだった。

半年後におやじが死んだと友達に聞いてね。家に帰ったら戦争に行っていた兄たちが復員してきていて、俺もしばらく炭焼きを手伝ったけど、やはり飯を食うのは三味線しかない。師匠の元へ戻り、北海道へ渡ったんだ。

でも相変わらず食事の調達をしたり、興行のスケジュールを立てたりと、「営業」の仕事ばかりやらされた。そのうちに母親が「プロになるのは、ホイト（こじき）のまねだ」と言っていた意味が分かってきたんだ。

＜山田さんは独立を決意する。１９４９年４月、「津軽民謡団」を組織、８人ほどで活動を始めた＞

福士一座だけでなく、当時はどこでも同じような生活をしていた。金が入れば飲み食いやばくちで無くしてしまう。１年働いても残るのは借金だけ。これではホイトと言われても仕方ない。自分が手本を示さねばいけないと思って、津軽民謡団を結成したんだよ。

メンバーは民謡歌手、手踊りの人と漫才師で、三味線は俺１人。生まれた集落での興行を皮切りに、津軽半島の西海岸から、秋田県内、青森の南部地方、北海道とずっと回った。大きい家や公民館などを借りて演奏してね、どこへ行っても好評だったよ。師匠たちと一緒に歩いて「営業」をやっていたことが、思わず役に立ったというわけなんだ。

福士政勝さんに弟子入り、津軽三味線のプロとして歩み始めたころの山田さん＝1946 年ごろ

◇人気歌手と共演、腕を磨く

＜今でこそ独奏楽器として高い評価を受けている津軽三味線だが、１９４９年、山田さんが「津軽民謡団」を結成したころは、まだ、歌の伴奏楽器とみられていた＞

津軽三味線の歴史はまだ１２０年ちょっとでね。明治の初めごろ、津軽地方を門付けして歩いたボサマ（坊様）の三味線が始まりだった。ボサマは三味線が本職じゃない。歌うのに音がないとうまくないから、三味線をはじいて「弾き語り」をやったわけだ。「津軽じょんから節」は、越後瞽女《ごぜ》（盲目の女性旅芸人）の口説きの影響を受けているんだよ。

後に嘉瀬の桃（１８８６〜１９３１年）という名人が出てね。その人気は飛ぶ鳥を落とす勢いで、津軽三大節（じょんから節、よされ節、小原節）確立に貢献したんだが、歌が本職で三味線は我流だった。弾き語りでなく、他人の歌に初めて三味線を付けたのは、梅田豊月（１８８５〜１９５２年）という人なんだ。

豊月は浪曲もやったから、義太夫用の太棹《ふとざお》を使った。それまでは津軽でも細棹や中棹を使っていたんだよ。豊月が歌付けをやり太棹を使うようになったので、白川軍八郎、木田林松栄、福士政勝という優れた人たちがこれに続き、津軽三味線のスタイルが確立されていったんだ。

でもまだ民謡の伴奏楽器で、前弾き（前奏）で腕を競っていた。独奏を始めたのは白川軍八郎で、１９５３年ごろ、歌から離れて４分、５分と弾き始めた。それを皆がまねて、独奏楽器と言われるようになっていくんだ。

＜津軽民謡団という活動の場を得たことで、山田さんの三味線は大きく飛躍する＞

津軽民謡団では弾き語りも歌付けもやったし、後には独奏もやった。これで三味線に磨きがかかったんだ。師匠（福士政勝）の音は体で覚えていたし、他の人のレコードも随分聴いていたから、やればやるほど上達していったんだよ。

１９５０年代半ばになると、津軽三味線の主な人は皆、東京へ出てしまった。東京では52〜53年から民謡酒場がどんどんできて、引っ張りだこだったこともあるし、映画が盛んになって、旅回りの巡業がやりにくくなったこともあった。地元に残ったのはほとんど俺１人だったから、人手が足らなくなって、逆に興行がやりやすくなってね。

それまでは田舎の集落を回っていたのが、青森市とか弘前市とかの市民会館を借りて興行し、人気歌手も招くようになった。函館市や盛岡市でもやったけど、押すな押すなの大盛況だったな。そんな頃、津軽民謡の代表的な歌手だった福士りつと出会い、一緒に舞台に立つようになったんだ。

＜福士りつさんとの出会いは、山田さんの芸にとっても、人生にとっても大きな出来事となった。２人はやがて結婚し、生涯のパートナーとなる＞

福士りつは、木田林松栄の伴奏でレコードをたくさん出していた人気歌手だった。しばらく一緒にやった後、1963年に正式に結婚して、翌64年に弘前市に津軽民謡ライブハウス「山唄」を開いたんだ。

一流のプロと一緒にやるのは大変で、「もう少し上手に弾け」なんて言われて、勉強したもんだよ。そのころから弟子も1人2人と取るようになった。

うちのおっかあの場合、本当に特殊な歌でね。その頃、歌のライバルはたくさんいたけど、他人には決してまねのできない、独特の節回しで歌いまくる。それに三味線で付けるためには相当な力量が必要なんだ。毎晩のように山唄で付けているうちに、腕が上がっていった。山唄を始めてからは、林松栄に代わって俺の伴奏でレコードを出すようになったんだ。

山田さんと福士りつさんは、舞台上でもベストパートナーとなる。しばしば一緒にステージに上がった＝1985年ごろ、弘前市

◇即興が評価され世に出る

＜1965年、山田さんは弘前市民会館で初の「民謡・春の唄祭り」を開く。以後毎年開催、他の

都市への巡業も活発に行い、民謡界に強い刺激を与えた＞

木田林松栄らを迎えて、弘前市をはじめ青森県内各都市や盛岡、大館、札幌、函館など東北、北海道を巡業したんだ。どこの会場も人であふれていたよ。実は林松栄の三味線を聴くのも、唄祭りの目的の一つでね。演奏を聴いて勉強したんだ。

林松栄は本当にすごかった。1の糸から3の糸までバンバン叩《たた》いて、豪快な演奏をした。歌の伴奏をするときは、強く叩く方が歌手も乗るし、歌が生きる。津軽民謡の歌は、時代とともに節が大きく変わってきた。歌もより抑揚が大きくなり、リズミカルになっていく。林松栄のスタイルは、新しい時代に合っていたんだよ。

今、津軽三味線は義太夫などに使う太棹よりさらに太く、大きくなっているけど、これをやったのも林松栄だった。1965年ごろ、寺内タケシのエレキギターがブームになった時、エレキの音に刺激されて、同じような音を出したいと特注したんだ。厚い犬の皮をがっちり張らないと、あんな音は出ない。目の前で何度も三味線の皮をはいで作り直させてね。職人が「いくら金をくれても、もういやだ」と泣いたほどだった。技巧では、最高峰と言われた白川軍八郎にかなわなかったので、音で勝とうとしたんだね。今では全国でこの特注の津軽三味線が使われているんだよ。

＜木田林松栄さんは、山田さんの三味線に大きな影響を与えた＞

林松栄はおれの第2の師匠だと思っている。おっかあ（福士りつさん）の伴奏を始めた頃は、林松栄の弾き方を随分参考にした。実は亡くなる前に、俺に林松栄の名をやる、2代目を継がないかと言ってくれたんだ。でも福士政勝の弟子なのに、林松栄を名乗るわけにはいかない。もちろん断ったよ。

林松栄の「叩き三味線」に対して、高橋竹山（1910〜98年）は「弾き三味線」とよく言われたけど、これはマスコミがつくった言葉なんだ。2人の演奏が対照的であることは誰でもすぐ分かる。一緒にテレビに出ることも多かった。ある時、司会者から「三味線は叩くものですか、弾くものですか」と聞かれた林松栄は「叩くものです。叩かねば津軽の歌には合いません」と答えた。一方、竹山は「誰も三味線を叩いてくれとは頼みません。私は弾いてます」ってね。竹山の三味線は1の糸も強く叩かないで2の糸、3の糸はバチでなでるように弾いたんだ。

「2人はこう言いましたが山田さんはどうですか」と今でも聞かれるけど、おれは「三味線は両方やっているんだ。叩いたり弾いたりするんだ」と答えている。それしかないんだよ。

＜津軽三味線の重要な要素は即興演奏。山田さんは即興の名手でもあり、即興が評価されたことが、世に出るきっ

演奏のためブダペストを訪れた山田さんと福士りつさん。左はハンガリーの人気女優ナルシー・クラークさん＝1976年11月

かけになった〉
伴奏の前弾きしかなかった時代から、同じものを弾いたら客が喜ばないということは、津軽三味線の世界では常識だったんだ。コンクールなどでライバル同士が競い合い、常に新しいものを求めてきたんだな。

即興は「山唄」開店のころからやってきたけれど、最高50分ぐらい演奏したこともあるね。１９７４年、東京・中野サンプラザで開かれた木田林松栄の津軽三味線50周年記念演奏会に出た翌日、ＬＰのレコーディングを行い、20分ぐらいの即興曲を入れたんだよ。発売のときに「津軽恋情曲」というタイトルがついたんだけど、これが１人で出したＬＰの第１号で、俺が世に出るきっかけにもなった。

76年11月には、ハンガリー対外文化協会の招きで、ウィーン経由でハンガリーを訪れ、ブダペストなどで３週間にわたって演奏することになったんだ。

◇日本の真のジャズと確信

〈１９７６年秋のハンガリー、オーストリア公演を通し、山田さんは、津軽三味線が世界に通用することを確信した〉

ハンガリーに行ったのは、日本でどれほど騒いでも、津軽三味線の良さに気付かない人が多い、外国から「逆輸入」されて初めて評価されることを意識したからなんだよ。

ブダペストでは皆、三味線は初めてなのに、最後までうなずいて聴いてくれた。ウィーンでは、音楽アカデミーの教授が「これが日本の本物の音楽だ」と言ってくれたんだ。行く前は、どうすれば分かってもらえるか、途中で誰もいなくなってしまうんじゃないかと心配だったけど、大きな自信になった。世界中どこへ行っても津軽三味線は大丈夫だと確信したことで、一層自由自在に演奏できるようになったんだ。

1982年8月に、米国・ニューヨークでジャズドラマーのエルビン・ジョーンズと共演したことも、強い刺激になったね。エルビンは日本によく来ていたので、俺のレコードを聴いて一緒にやりたいと言ってきたんだ。

エルビンは、俺がどんなふうに三味線を弾いても、きっちり付けてくれる。でも、リズム感覚は日本人と全然違う。多くのジャズミュージシャンと一緒にやったけど、最高の体験だった。エルビンとは翌83年1月に来日した時、青森市で共演してね、この時は「山唄」にも来てくれた。その後もあちこちで一緒にやったよ。

〈山田さんは、その後欧州、米国、南米、中国など、世界をまたにかけて活動するようになる〉

1985年5月に、西ドイツ（当時）のメールス市で開かれた「インターナショナル・ニュージャズ・フェスティバル」に出演したことも、一つの転機となったね。世界の4大ジャズ祭の一つに挙げられ、世界の前衛音楽が集まるフェスティバルなんだけど、常に新しいものを求める厳しい聴衆が、総立ちで喜んでくれた。俺の演奏を、日本代表の前衛音楽として認めてくれたんだ。
津軽三味線は、同じことを繰り返すわけにはいかない。昔から常に新しいものを求めてきた。99パーセントはアドリブと言ってもよい。これが、ニュージャズのフェスティバルで受けた理由だと思うんだよ。それにジャズは歴史の長さをみても、即興性でも津軽三味線と共通点が多い。ジャズをやっている人は国内に多いけど、俺は「日本の本物のジャズは津軽三味線だ」と言っているんだ。

＜山田さんは、後継者育成にも力を注いでいる。１９８１年からは、津軽三味線全国大会を弘前市で開いている＞
津軽三味線を弾く人間は、今は全国に５万人いると言われるんだけど、いつの間にか「流派制」になってしまった。流派でやるのは、言ってみれば、自分の庭で遊んでいるだけ。他との交流は絶対に必要だ。全国大会は１、２

ジャズドラマーのエルビン・ジョーンズと共演する山田さん＝1983年１月、弘前市の「山唄」

年は出場者が集まらなかったが、今では団体を含めて300人ぐらいが集まるようになった。10代、20代の奏者が増えたし、技巧的には急速にアップしている。でも、問題は津軽三味線の「味」を備えていないということなんだね。津軽の「音色」「におい」「言葉のリズム」を備えてこそ、本物の津軽三味線になる。地域に根付いた味、体に染まったリズムがあるんだ。全国大会の狙いの一つは、津軽に来て、津軽の空気に触れてもらうことにあるんだよ。

それと、優れた奏者が生まれても、演奏で生活できるようにならなければ、後継者は育たない。全国大会のチャンピオンクラスが、演奏活動でやっていけるような環境をつくることが大切だと思っているんだ。

（聞き手は須永誠、1999年4月29日～6月3日掲載）

第2章　美術

洋画家

渡辺　雄彦　さん

静物画の名手として知られる仙台市の洋画家渡辺雄彦さん。日展や河北美術展を舞台に数多くの名作を生み出し、宮城教育大で長く後進の育成に努めた。今なお精力的に個展開催や公募展出品を続ける渡辺さんに、キャンバスの前に立ち続けた半生を振り返ってもらった。

わたなべ・たけひこ　1933年生まれ。東北大教育学部卒。洋画家の故杉村惇氏に師事。宮城教育大助教授、教授、中国・東北師範大客員教授などを歴任。宮城教育大名誉教授。91年、2007年日展特選。11年日展審査員。16年地域文化功労文部科学大臣表彰。日展会員、日洋会東北支部長、河北美術展参与。仙台市太白区在住。

◇自己流で油彩画、人物描く

＜日本が日中戦争、太平洋戦争へと突き進む時代。渡辺さんは父能《あとう》さん、母マサエさんの次男として福島県相馬郡飯豊村（現相馬市）に生まれた＞

9人きょうだいの3番目です。父は帝国陸軍の近衛兵で、私は誇らしく思っていました。日中戦争で上海に出征し、その後、相馬に戻って在郷軍人会の指導者となった。

父が指導的立場ですので私も下手ができない。国民学校（当時の小学校）では6年連続で級長。いわゆる優等生です。とはいえ当時は戦争中。授業といっても校庭で野菜を育てたり、松の木から油を取る作業に駆り出されたりで、勉強をした記憶はありません。

工作や絵が好きでしたが、何せ物資の乏しい時代。画用紙がないので乾いた地面にやかんの水で戦争画を描いたり、海岸で砂の像を作ったりしていました。

家は農家でしたが白米を食べたことがなかった。「お国のために」と父が率先して米を供出してしまうので、残るのはくず米ばかり。当時は軍国教育にいわば洗脳された状態ですので、それを特におかしいとは思いませんでした。

今も毎日絵と向き合う渡辺さん＝仙台市太白区の自宅

航空士官学校教官を務めた叔父がいて、私にとっては英雄のような存在でした。４年生の時、その叔父と結婚間近で後に叔母となる女性に、お祝いとして戦闘機の絵を描いて贈りました。ところが叔父は戦争末期に房総半島上空で敵機の大群に撃墜され戦死。お祝いのつもりで贈ったはずが、かえって悲しい思いをさせてしまった。この絵は今も手元にあります。平和が何より大事だと思い返させる、私の原点とも言える１枚です。

＜12歳で終戦を迎え、新しい時代の到来とともに旧制相馬中に進んだ＞

終戦直前に急性虫垂炎にかかり、玉音放送を聞きながら病院に運ばれました。中学では美術部に入り、引退する先輩から絵の具一式を安く譲り受けて自己流で油彩画を始めました。絵の具箱は父の知り合いの大工のお手製。肩掛けベルトは馬の手綱でしたが、涙が出るほどうれしかったです。

中央の子どもが幼少期の渡辺さん。父能さんの出征前に家族で撮った1枚

世の中の価値観が百八十度転換し、美術部も先輩たちが戦後の喜びを爆発させ、盛んに活動しました。私も触発されて人物を中心にたくさん描き、腕を磨きました。

相馬中は学制改革で相馬高併設中学校と改称され、そのまま相馬高に進学。2、3年時に美術部の部長を務めました。部員同士で連れ立って、横山大観らの日本画展を仙台まで見に行ったのがいい思い出です。

◇東北大で杉村惇氏に師事

＜渡辺さんは相馬高を卒業後、東北大教育学部美術科に進学した＞

高校美術部の先輩たちが東京の美大へ進学するのを見て、自分も憧れました。しかし、当時は高校を出してもらえただけで御の字の時代。家は9人きょうだいで貧しく、美大に行きたいなどとても言えません。卒業後は農協か役場に勤めると期待されていました。

悩んでいた高3の春、松川港（相馬市）を描いた油彩画「漁港」が第6回福島県美術展で入選しました。「今がチャンス」と決心し、美大に行きたいと打ち明けました。父は一晩悩んだ末に「東京は無理だ。下宿せずに家から通える国立大なら受験してもいい」と答えました。

相馬から通える国立大はすなわち東北大しかありません。旧帝大に受かるはずがない、と諦めさせる魂胆だったと思います。しかし私は必死に勉強し、合格してしまった。母の第一声は「困ったなー」でした。息子が旧帝大に受かれば普通はお祝いするでしょう。なのに困ったと言われ、立つ瀬がない気がしましたが、それでも両親はどうにかして入学金と授業料を用立ててくれました。

＜東北大で生涯の師となる洋画家の杉村惇氏（1907～2001年、仙台市名誉市民）と出会う＞

前年に採用されたばかりの杉村先生が初めて担任を持ったのが私のクラスでした。当時40代半ば。作品を見て衝撃を受けました。「本物の油絵とはこういうものか」と。

河北美術展（河北新報社など主催）に出した枯れたアザミの花の絵でした。厚塗りのマチエール（絵肌）など、これまで見てきた平板な絵と全然違う。本格的な油彩画に初めて触れた経験でした。

杉村先生は手取り足取り教えることは絶対にしません。「見習え」という姿勢です。絵に対する姿勢がいいかげんだと相手にもされない。作品の批評会を通じて「本物とは何だ」ということを自問させられました。抽象的だけど大切なことを学んだと思います。

彼は教師である以前にまず画家であり、制作は命懸け。塩釜（市）にアトリエがありましたが、公募展が近づくと玄関のドアに「面会謝絶」と大きな張り紙がされます。人に教えるのにかまけて自分の作品が駄目になっては元も子もないと、常に辞表を内ポケットに忍ばせていたと後に聞きました。

私はこの頃、河北美術展に応募を始めました。相馬の塩田を描いた初の入選作「干拓風景」はよく覚えています。キャンバスを生半可な知識で自作して失敗し、油分が吸われて表面がカサカサになってしまった。短評は「調子はいいが湿り気が足りない」。全くその通りです。

東北大生時代、同級生と塩釜市にあった杉村氏（右端）のアトリエを訪れた渡辺さん（左端）

翌年は少年の人物画を描きました。入選はしたものの、短評は「無難」とたった一言。悔しかったけれど「次こそは」と奮起する材料になりました。

公募展は自分のペースで開ける個展と違い、期限までに描き上げる瞬発力と持久力が必要です。個展を開ける画廊が今ほど多くない時代でしたし、河北美術展には鍛えられました。

◇教師の傍ら公募展に出品

＜１９５６年、東北大卒業後、渡辺さんは福島県福島聾《ろう》学校高等部（現福島県立聴覚支援学校）で美術教師の第一歩を踏み出す＞

就職難の年で諦めかけていたところ、聾学校からお誘いがありました。障害者教育は専門でないので迷っていると、校長は「半年間は見学でいい」と言う。それなら自由に絵を描く時間が取れそうだと応諾。ベテラン教師に付いて生徒同士のやりとりを観察するうち、手話が理解できるようになりました。

手話を使う美術教師が珍しかったのでしょう。生徒や保護者から頼りにされ、新年会などによく呼ばれました。私は現在「東北障がい者芸術公募展」の審査員をしていますが、50年以上たった今も当時の教え子たちが来場してくれます。

就職に伴い福島市内の６畳一間で１人暮らしを始め、初月給でイーゼルを買いました。６畳部分はいつでも絵が描けるようアトリエにして、自分は押し入れで寝袋に寝る生活です。下宿を絵の具で汚さないよう床に渋紙を敷き詰めていたので歩くとゴワゴワ音がしました。このイーゼルは今でも大切に使っています。

＜美術教師の傍ら各種公募展に精力的に応募。61年には同じ聾学校に勤めていた紘子さんと結婚した＞

まず61年の第14回日本アンデパンダン展に人物画「佇《たたず》む」を出品しました。経済的な事情で進学がかなわなかった東京に自分の絵を飾りたい気持ちがあったんですね。

63年には東北大時代の恩師、洋画家の故杉村惇先生の勧めで第49回光風会展に風景画「工事タワー」を出し、初入選しました。第6回日展でも叔父の住む函館をスケッチした風景画「魚市場風景」が初入選。さらに第31回福島県美術協会展で静物画「がらくたの中の静物」が特選となりました。三つの入賞・入選が重なったうれしい1年で、私は勝手に「デビューの年」と位置付けています。

ほかにも大学時代の同級生7人で「七朋会」を結成したり、美術団体「福島青美」に参加したりして、グループ展も開きました。これらは福島時代の数年間だけの活動でし

宮城県築館高に赴任し、美術部顧問を務めた渡辺さん（中央）

たが、絵に没頭できて楽しかったです。

＜64年に福島聾学校を退職。宮城県築館高校へ移る＞

築館高を退職する友人の美術教師の後任として赴任し、美術部の顧問も務めました。築館町（現栗原市）の６畳２間の町営住宅に、福島で生まれた子ども２人を加えた家族４人で移り住みました。ここでも１部屋をアトリエにしたので、残りの６畳が家族４人の居間、寝室、応接間兼用です。私の絵のために家族に狭い空間で暮らす犠牲を強いました。布団の端によく絵の具が付きましたね。

当時の築館には、後に河北文化賞を受賞する日本画家能島康明さんや、独立美術協会で活躍し、俳優菅原文太さんの父でもある洋画家狭間二郎さんがいました（ともに故人）。ほかに（河北美術展参与の）洋画家菊地義彦さん（２０１９年６月死去）がいて、美術が盛んな土地柄でした。深く交流したわけではありませんが、彼らの存在には刺激を受けました。

◇助手に転身、静物画に没頭

＜１９６７年に渡辺さんは宮城県築館高を退職。宮城教育大美術科の助手になった＞

学生時代の恩師で、当時は宮教大教授だった洋画家の杉村惇先生が言うんです。「助手を採ることにした。来る気はあるか」と。しかし「来い」とまでは言わない。私はその頃、既に33歳で家庭があった。美術教師を辞めて助手として一から再出発すれば収入はガクンと減ってしまう。自分で決めろというわけです。

悩みました。築館高の教頭には「君、いい年なのに今更助手になってどうするの」と諭されました。それでもやはり、専門的に絵をやりたい。高校は「教育」、大学は「研究」です。家族には迷惑を掛けるけれど、本格的に絵が描きたい一心で転職を決断しました。

今では専門とする静物画に本格的に取り組み始めたのもこの頃。杉村先生は「静物学者」と異名を取るほど、この分野で全国的に有名でした。絵の批評も静物に対して特に厳しい。どうせなら最もきつい中で研究しようと思いました。

理由はもう一つあります。大学助手は電話番も仕事のうち。スケッチに外出できないし、モデルを呼んでも長電話が来ればポーズが保てない。部屋にいながら自分のペースで描けるのが静物画だった。描き続けるうち、物の配置で世界観を自由に演出できる静物画の魅力に徐々に気付き始め、のめり込みました。

奈良、京都への美術旅行で宮城教育大の学生を引率する渡辺さん（前列左端）＝1970年

それまでは公募展に風景画や人物画など幅広く出していましたが、以降は静物画に絞って光風会展や日展、宮城県芸術祭、河北美術展などに出品。入賞、入選を重ねました。

＜静物画の研究に没頭する一方、教壇にも立った＞

私は「文部教官助手」といって講義をできる立場でしたので、杉村先生の代理で講義することがよくありました。特に日展の応募期限が近づくと「熱があるから休む。代役頼むよ」と電話が来る。仮病です。つまり制作が差し迫っているわけです。私も分かっていましたから「はいはい」と応じました。関係者の間では「日展風邪」と称していました。

当時は大学紛争のまっただ中で、授業のボイコットや講義棟の占拠が起きることもしばしば。美術科はそれほど荒れていませんでしたが、助手の私は非常要員として夜間警備に駆り出され、守衛所詰めなど最前線に立ちました。学生がれんがをはがして建物の上から投石してくる危険性があり、ぶつけられないよう壁際すれすれに歩いて夜間巡視したことを思い出します。

あの頃の学生は迷惑行為もしましたが情熱があり、憎めない面がありました。私が展覧会で賞を取ると「おめでとうございます」と一升瓶を下げて教員宿舎に来る。感心だなと思って「おう、入れ」と言うと、ずらーっと10人くらいいる。それで5升飲まれる。しまいには狭い宿舎で私の家族と一緒に雑魚寝です。

「ご飯を炊いたけどおかずがありません」と来た学生もいた。慕われていると言えばそうかもしれませんが、大学はもうからない場所だとつくづく感じましたね。でもまあ、白けている学生よりよほどいいですよ。

◇独自色の確立へ試行錯誤

＜渡辺さんは1983年、フレスコ画を学ぼうと、文部省（現文部科学省）の内地研究員制度を利用して東京芸大大学院壁画科に通う＞

大学教員同士の交換留学のような制度です。私は宮城教育大助教授でしたが、志願して東京芸大に1年間派遣してもらいました。

手掛けたことのないフレスコ画に挑戦したのは、追究してきた静物画から一度離れるのが目的でした。この当時、自分の独自色、個性をいかに確立するかで悶々《もんもん》としていて、静物画の大家だった恩師の杉村惇先生に染まり過ぎないよう、あえて離れる考えでした。

当時50歳。焦りもあったかもしれません。そもそも油彩画は自分に合っているのかとの疑問さえ浮かんでいました。新たな可能性を模索して東京・谷中の風呂なし、共同トイレの6畳一間で1人暮らしを始めました。窓からは墓地しか見えない長屋でした。

院生の若者に交じって必死に勉強しました。先生方から「そこまで根詰めなくても」と言われるぐらい。仙台市の一番町4丁目商店街の喫茶店エビアンの壁には、当時制作したフレスコ画「コーヒーのできるまで」が今もあります。

ただフレスコ画制作の3分の2は壁塗りの大工仕事。50歳をすぎた私が将来もこうした重労働をするのは無理だと、専門にはしませんでした。風景画に興味を持ってモロッコや南欧など6カ国を巡る旅に出たこともありましたが、静物画ほどの手応えは得られませんでした。

技術は努力すればある程度は何とかなります。しかし、芸術家として自己を確立するのは全く別物の苦しさ。誰もがそうでしょう。試行錯誤の時期でした。


＜91年、第23回日展で「パンのある静物」が初の特選。58歳の遅咲きだった＞

悩んで寄り道をして、それでも静物画に戻った。いろいろな経験が生きて受賞に値する作品ができたのだと思います。

まさか特選になると思わず、発表日は飲みに出ていました。携帯電話が普及していない時代です。家に受賞の連絡があったのですが分かりませんでした。翌朝、杉村先生か

画家としての独自色確立を模索し、南欧・モロッコを巡る旅に出た渡辺さん＝ 1978 年、スペイン中部

ら「大事な日にどこをほっつき歩いてたんだ」と怒鳴られました。

静物画「卓上」が2度目の特選となったのは2007年の第39回日展。初の特選から16年後のことです。特選を取る力のある画家は初受賞から4、5年で2度目に選ばれる例が多い。私の2度目はなさそうだと思っていたので驚きでした。

実は前年に落選しているんです。作品の出来は悪くなかったのですが、ほかに素晴らしい作品が多く、相対的に低位置に置かれたのでしょう。周囲も意気消沈でした。「大丈夫だ。来年は特選になるから」と冗談で場を和ませましたが、大風呂敷とはいえ口にした以上は頑張らなきゃと、次の作品に精魂込めたのが奏功したのかもしれません。

まさかの落選が翌年の特選につながるわけですから人生分からないものです。ただ、制作中は端から見ると鬼気迫る様子だったらしく、妻からは「アトリエに入るのが怖かった」と言われました。

◇震災や祈り 静物画で表現

＜渡辺さんは1999年に宮城教育大教授を退官した＞
絵を描くのが第一という点は変わらず、生活リズムはずっと同じ。体の衰えは感じますが気力は変わらず充実し、むしろ授業がない分、自分の仕事に専念できています。
2011年には日展の審査員を務めました。仙台と東京を何往復もし、審査中は泊まり込み。予定していた両目の手術も先延ばししました。万が一失敗して審査ができなくなるわけにいきません。出品作品も普段以上に力を入れて描きました。
同年に日展会員になりました。これを契機に日展系洋画団体「日洋会」の東北支部を仙台に設立。念願がかないました。日洋会支部は日展会員が支部長に就く規則ですが、東北は洋画の日展会員が四半世紀以上も不在だったんです。私が会員になり、ようやく条件がそろいました。東北の洋画家の育成に弾みが付くと期待しています。

＜2011年には東日本大震災があり、画家としてどう向き合うか問われた＞
その年の第43回日展、つまり審査員を務めた年の出品作は「取り残された海」という静物画です。窓から港の見える建物の中に浮き球や船のかじをやや暗いトーンで描き、震災で失われた港や漁業者の生活を象徴的に表しました。
翌年の第44回日展の「遠い日」も静物画。子どもの遊具や漁具を題材とし、家族の思い出や二度と戻らない日々への祈りを間接的に示しました。試行錯誤はありましたが、静物画でも震災や社会的な事象を表現できると確信しました。
1度だけ、直接的な描き方をしたことがあります。故郷の相馬市から東北大に通った学生時代、毎日通過したJR常磐線新地駅が津波で破壊され、電車が横倒しになった情景を生々しく描いた「黒い太陽」という作品です。

惨状を描き写すのも画家の義務ではないかと考えスケッチしたものの、あんな情景は思い出すのも嫌。こういう描き方はしたくないと、その後は静物画による表現を模索しました。

＜現在は仙台市内のカルチャーセンターで４教室、約60人に絵画を指導する＞

開講から約40年。受講希望者が多く大学退官後に受け持ちを増やしました。自分で言うのも何ですが人気講座なんです。授業の後に受講者としょっちゅう飲みに行くので。故郷の相馬市では、宴会となれば民謡と踊りでにぎやかでした。酒の力で距離を縮めるのが私のＤＮＡに刻まれているんでしょうね。４教室を受け持つのは大変ですが、東北の美術界の底上げに少しは貢献できているかな。

今も日展、日洋展、宮城県芸術祭、福島県展、河北美術展と、少なくとも年に5回は作品を出す機会があります。だから「明日何しよう」と迷わない。17年に画業60年を総括する自選展を開きましたが、この先も大病をしない限り、まだまだ絵と向き合うつもり。生涯現役で力みなく、さらに学び、

個展会場で来場者と談笑する渡辺さん（右端）＝2017年11月、仙台市青葉区の晩翠画廊

いろいろ吸収していきたいと思います。

（聞き手は酒井原雄平、２０１８年1月10日～2月14日掲載）

洋画家

佐野　ぬい　さん

青を基調とする抽象画を数多く手掛け、女子美術大の学長を務めた佐野ぬいさんは、洋画家、教育者として、信じる道を真っすぐに進んできた。家族の言葉を支えに、少女の頃に抱いた憧れを実現。結婚、出産を経て、時に周囲にあらがいながら、画壇に確かな地位を築いた。単身上京して60年余。古里に思いをはせつつ、歩み続ける。

さの・ぬい　1932年生まれ。女子美術大芸術学部卒。新制作協会会員。女子美術大助教授、教授などを経て2007年4月～11年5月女子美術大学長。同大名誉教授。日本美術家連盟洋画部理事。2001年青森県褒章文化功労者。1994年青森県文化賞。09～10年河北美術展洋画部門審査員。15年弘前市名誉市民。

◇菓子の色に囲まれて育つ

＜佐野さんは弘前市内にある菓子店に、3人きょうだいの長女として生まれた＞

実家は「ラグノオ」という弘前市中心部にある菓子屋です。6歳年下の長男が父（故人）の後を継ぎ、今でも営業しています。

子どもの頃は特に、絵を描くことが好きではありませんでした。とても活発で、剣劇ごっこに夢中になるなど、もっぱら外で男の子たちと一緒に遊んでいました。

洋菓子の切れ端を周りの子どもにあげていたので、男の子たちが毎日のように店にやって来ました。私はある意味「番長」みたいな存在で、友達の子どもたちに駆けっこをさせて、一番の子にこれをあげるとか、そんなことをしていました。

今振り返ると、私の周りは色に満ちていました。工場にはようかんを作るために、機械で赤茶色の小豆をかき混ぜていたり、ホイッパーで真っ白な生クリームを溶かしていたりしていました。さまざまな色や形を見て育ったと思います。

これまでの人生や近況を語る佐野さん＝東京都内の自宅

太平洋戦争中は灰色の時代、モノクロームのような感じで記憶に残っています。戦争が終わった時に周りを見回すと、色彩が全部きれいに見えました。特に空の青さは印象に残っています。冬の雪の白さにも温かさを感じました。秋のリンゴの赤、機関車の黒とか、全ての色と形が美しく見えました。

〈幼い頃に見たフランス映画と父の言葉が、佐野さんの人生を決定づけた〉

家から歩いて数分の場所に、何軒か映画館がありました。小学生になる前から、両親や店の職人さんに連れられ、よく映画を見に行きました。

戦争が終わると、ヨーロッパやアメリカの映画がどっと入ってきました。父や母によく、フランスの映画を見に連れて行ってもらいました。

弘前で上映したフランスの映画は全部見たのではないでしょうか。映画に登場するパリの下町が情緒豊かで、住んでみたいと思いました。

「映画に出てくるようなパリの下町に住んでみたい。どうしたらいいの？」と父に聞いたことがあります。「絵描きになれば早く行けるだろう」と、父は答えました。「お前なら大丈夫だよ。何をやっても大丈夫」とも言ってくれました。

高校時代の佐野さん。父の言葉に励まされ、上京を決意した

年頃の女の子が家を離れると父親は心配すると思うのですが、うちの父は心配せずに自信を付けてくれました。両親に勧められ、弟と一緒に小学生の頃から絵を習っていましたし、絵描きになるのは難しいことじゃないと思いました。

今も何かをやるとき、自分に自信を付けたいときに、父の言葉を思い出し、「私なら大丈夫」と言い聞かせています。父は30年ほど前に亡くなりましたが、「大丈夫」の言葉は今でも、お守りみたいに大切にしています。

◇大学ではデッサンに没頭

＜佐野さんは青森県の弘前高等女学校（現弘前中央高）を卒業し、女子美術大に入学するため上京した＞

戦時中に弘前に疎開していた女優の奈良岡朋子さん（女子美術大卒）に話を聞く機会があり、「女子美って楽しいわよ」と女子美術大に進学することを勧められました。

1人で弘前を離れることに、全く不安はありませんでした。大学でできた友達の多くは全国各地から東京に出てきた人たちでした。一つだけ恥ずかしいと思ったのは、津軽弁のイントネーションです。あまり皆に知られたくないと思って、普段はおとなしくしていました。周りの友達は、私をおとなしい子だと思っていたでしょう。

大学時代は下宿していました。寮がありましたが、あまりきれいじゃなかったし、野菜が嫌いで食事になじめそうになかったので、両親に下宿を探してもらいました。今で言う禅林寺通り（東京都三鷹市）にあった家に下宿しました。作家の太宰治（五所川原市出身）が好きだったので、太宰が「グッド・バイ」などの作品を書いた街に住んでみたかったのです。

＜大学時代はデッサンに明け暮れる生活だった＞

大学3、4年になると、授業が午前で終わる日は、午後は自由時間となり、下町によくデッサンに行きました。1日に何枚も描きました。当時のデッサンは今よりうまく描けている気がします。若かったので、疲れもせず、頑張れたのでしょう。

誰かに強制されたわけではなく、何となく描いていました。「だいたい」という感覚が好きなんです。絵も完成した作品はありません。当時から万事「だいたい」でやっていたのでしょう。

大学には哲学や文芸などの分野で、当時の巨匠と言うべき先生が何人かいました。今ではとても女子美術大に呼べる先生ではなかったと思います。絵を描くこと以外に、たくさんのことを学びました。映画もよく見ました。

大学では抽象画ではなく、写実的な絵を描くよう勧められました。石こうを描くデッサンは嫌いでした。自分が思うように描けるデッサンをやりたかったですね。

2年生の時に、洋行帰りの先生に「佐野さんは挿絵で食べていけるわよ」と褒められたことを今でも覚えています。その先生は憧れの的でした。パリに対する憧れは大学に行っても冷めることはありませんでしたが、当時はフランスなんて簡単に行けません。いつになったら行けるのだろうと、思い

大学時代の佐野さん。パリに対する憧れを募らせていた＝1951年、横浜市内

を募らせていました。
　週に何日か、お茶の水の語学教室「アテネ・フランセ」にフランス語を習いに行きました。２年くらい通い、簡単な会話と絵の具の色はフランス語で話せるようになりました。

◇パリへの憧れが原動力に

＜佐野さんは１９５５年に女子美術大を卒業、同大の助手になった。結婚、出産後も助手の仕事を続けた＞

　大学の助手だった24歳の時に結婚しました。夫（佐野寧氏、故人）は自分の取材にきた新聞記者（後にエッセイスト）でした。

　女性しかいないのに、当時の女子美術大はどういうわけか、結婚、出産した後も仕事を続ける人がいませんでした。大学のお偉いさんに「三岸節子や片岡球子のような立派な画家になったら、もろ手を挙げてお迎えに参ります。お辞めになってはいかがですか」と言われました。

　私は怒りました。女子美術大は１９００年に創設され、「芸術による女性の自立」「女性の社会的地位の向上」「専門の技術家、美術教師の養成」を建学の精神としています。

　三つの建学の精神を述べ、「これから女子美を創っていくことが私の使命だと思う。辞めません。お帰りください」と言い返しました。

その頃は今みたいに出産や育児で長く休める時代ではありませんでした。数週間休んで、大学に早く戻ったつもりです。そんなに無理しなくてよかったのにと、今になると思います。夫は結婚、出産した後も自由に絵を描かせてくれました。食事が済むとすぐに、「絵を描きなさい」と勧めてくれる人でした。

育児と家事、仕事に追われて、日々忙しかったですね。手を洗わずに青い絵の具を手に付けたまま米をとぎ、「俺を殺す気か」と夫に言われたことがあります。寝る時間をあまり取れず、手紙を書こうとしてテーブルに伏して寝てしまったこともあります。だから、立ったまま、壁に向かって手紙を書くことがありました。

結婚して３～４年、自分としてはすごく働いていた時代で、夢中でした。生きてきた中で最も楽しかったです。思い出すと一番、懐かしい。そういう時代はもう二度と来ません。

女子美術大専任講師時代の佐野さん。憧れていたパリへの渡航も果たした＝ 1971 年ごろ

＜女子美術大で専任講師を務めていた１９６９年、36歳で初めて憧れのパリを訪れた＞

大学の海外研修旅行に参加し、２カ月くらいパリに滞在しました。もっと早いうちに行きたかった

けれど、大学の仕事をまじめにやっていたので、遅くなりました。

初めて行ったのに、何時間もたたないうちにずっと前からパリにいるような気分になりました。不思議と「やっと来ることができた」という感動はありませんでした。なかなか行けないという不安があったので、すごく安心できたんです。

今でもパリが好きです。住みたいと思っています。私にとって特別な意味がある場所です。東京にいても、そういう気持ちにはなりません。世界中見渡しても、他にそんな街はありません。パリに対する憧れが私の活力、原動力だったと思います。

◇青を基調とした作品発表

＜佐野さんは国内有数の美術公募展である新制作展に1955年から出品を続け、69年に新制作協会の会員になった＞
一人前の画家として認められた気がしました。新制作展に出品する多くの画家が会員になることを目標にしていると思います。初めてパリに行けたこともあり、この年は忘れられない年になりました。
当時はヨーロッパやアメリカの絵のいいところを取り入れ、自分が描く絵のスタイルが固まってきたころでした。女性を含む同じ年代のアメリカ人の画家たちが大きな抽象画を描いていました。世界中の同世代の画家と渡り合わなければ駄目だと思い、私もこの頃から、大きな絵を描き続けました。

若い頃から、私が描く絵は、ほとんどが青を基調にしています。終戦後にゆっくりした気分で空を見上げたら、透明な空が見えました。しみじみ良かった青でした。それが気持ちの中にありました。

個人的には、アンリ・マチスの絵を気に入っています。フランス人ですし、色がきれいで作風が自由で好きです。何があってもマチスの展覧会は見に行きます。でも、マチスのように赤を基調とした絵は1枚も描いたことがありません。自分の絵はあくまで、自分の形と色彩で描いてきました。

＜女子美術大の助教授や教授を経て、２００７年に学長になった＞

学生たちには絵描きになってほしいと思っていました。ただ、誰が認めるかは全然分かりません。自分を一番大事にしてほしいと言ってきました。自分を一番大事にしないと、その日その日の充実感を得られません。他人も大事にしないと駄目だとすぐ分かります。

皆に才能があると思います。誰一人、同じ顔をした人間はいません。それぞれが違った才能を持っているから、それを大事にしてほしかったのです。

学長になるなんて、思ってもみませんでした。在任中は忙し

女子美術大の学長に就いたころの佐野さん＝2007年、東京都内

いというか、無我夢中でした。あちこちに出向く機会が多かったですね。

２０１０年には女子美術大の創立１１０周年に合わせ、個展を開きました。大学と一緒に歩んだ私の歴史を見てもらう展覧会でした。衣装を作る研究室の人たちがドレスを製作してくれたり、教授の皆さんが協力してくれたりしました。皆さんに認めていただき、今までで一番思い出深い展覧会になりました。

学長を務めている間に夫が亡くなり、東日本大震災が起きました。慌ただしい毎日で、気持ちがゆったりしていることはありませんでした。

それを嫌だとは思わず、学長の仕事にやりがいを感じ、終わりまで務めました。教授陣も協力してくれました。女子美のいいところだと思います。

◇難しくて不思議な青を探求

〈佐野さんは２０１１年5月、４年間務めた女子美術大の学長を退任した〉

学長を辞めた後は特に、役職に就いていません。普段は毎朝、アトリエに来てキャンバスを眺めます。昼食前までを絵を描く時間に充てます。活力のある午前中のうちに、絵を描こうと思っています。

いったん筆を持たなくなると、自堕落になりそうな気がするんです。

この年になるとどうしても、昼を過ぎると疲れが出ます。時には描きたくない日、絵のイメージが湧かない日もあります。

夫を亡くして1人になりましたが、気にしないたちです。幼い頃からいつも大勢の人たちに囲まれて暮らしてきて、あまり孤独を感じることがありませんでした。今日に至るまで、どこからか助けがやってくると思って生きています。

芸術家は孤独でなければならないと言うけれど、果たしてそうでしょうか。周りに何十人といた方が、ずっと幸せな絵が描けます。

幸い、今日まで大きな病気をせずに過ごしてきました。絵を描いてきたおかげでしょう。別の仕事をしていたら、違っていたと思います。

芸術家が作品を作るには、エネルギーが要ります。肉が好きで、80歳を超えた今でもステーキを食べます。ただ、子どもの頃から偏食だったので、最近は栄養のバランスを考えて食事を取るように心掛けています。


〈2015年2月、弘前市の名誉市民となった佐野さんは、古里で久しぶりの個展を開く〉

考えてもみないことでした。私を認めてくれた人たちに感謝しています。皆さんがこちらを向いてくださったことが、とてもありがたいです。

弘前を離れて65年。絶えず、故郷を懐かしんでいます。1人になるとなおさらです。愛知県出身の夫が亡くなった後は、「故郷忘じ難し」の書を額に入れて、アトリエに掛けています。津軽が好きだから、自宅でずっと、津軽塗のお箸を使って食事をしています。

名誉市民になった記念に2015年の夏、弘前市立博物館で「青の時間－佐野ぬいの世界」と題した個展を開きました。弘前で本格的な個展を開くのは約30年ぶり。感慨深かったです。

今でも青という色にこだわっています。青は、快い、爽やか、明快といった肯定的な気分を表すことがあれば、時には憂鬱《ゆううつ》や影、死など否定的なイメージを持ちます。怠惰や幻想、ある種の不安感まで多彩に表現できる色です。

難しい色です。どんなふうにも取れる不思議な色です。青から、たくさんのことを勉強してきました。探究というほどでもないかもしれませんが、これからもずっと、青を使って絵を描き続けるでしょう。

（聞き手は肘井大祐、2016年1月13日～2月10日掲載）

弘前市内で開いた個展であいさつする佐野さん（左端）＝2015年7月

日本画家

能島　和明　さん

日本画家の能島和明さんは日展や河北美術展を舞台に数々の作品を発表してきた。鶴岡市の黒川能、恐山のイタコなど東北の土俗性や情念を感じさせる題材を追い求め、東日本大震災を主題とした大作も完成させた。源流には宮城県築館町（現栗原市）で育った少年時代があり、画壇を代表する作家となった今も、故郷への思いは尽きない。

のうじま・かずあき　1944年生まれ。多摩美大卒。日本画家の故奥田元宋氏に師事。大学在学中に日展に初入選。66、74年河北美術展河北賞。72、75年日展特選。2009年日展文部科学大臣賞、13年日本芸術院賞、14年河北文化賞受賞。日展会員、河北美術展顧問。横浜市在住。栗原市の栗駒山麓にアトリエを構える。

◇高校時代に日本画始める

＜能島さんは太平洋戦争が激化する中、東京・浅草で5人きょうだいの長男として生まれた。父は日本画家の故能島康明さんだ＞

生後数カ月で母むつみ（故人）の実家のあった築館へ疎開し、そのまま築館で育ちました。東京の記憶はありません。親戚の家を間借りして暮らしました。江戸っ子の父は疎開後も東京に戻りたくて、何度か母とけんかもしたそうです。

少年時代は野山が遊び場。炭鉱の穴に入ったり、チャンバラごっこをしたり。勉強は不得意でした。感受性が強く、周囲は「変わった子」と見ていたようです。母は心配して甘やかし、きょうだいは「兄ちゃんばっかり」と多少不満もあったらしい。頭ごなしに押さえつけずに育ててくれた母には感謝しています。

物心つく頃には絵を描いていました。父は築館中の美術教師の職を得ていて、家にわら半紙やクレヨンがあったんです。それでいたずら書きをしたのが最初。落書き同然の絵とはいえ、一応物置に取っておいたのですが、ある日、母が風呂のたき付けに使い、全て燃やしてしまいました。今となっては笑い話です。

「中学時代には既に画家を志していた」と語る能島さん＝横浜市の自宅

小、中と美術部でした。中学では父が顧問。父が絵を描く姿を見て育ちましたが、英才教育とかは一切なかったです。弟の能島千明（日展特選２回）、妹の安藤瑠吏子（宮城県芸術協会運営委員）、七宮牧子（河北美術展招待作家）がともに日本画家になったからか、よく誤解されます。英才教育なんてされたら絵を嫌いになっていたでしょうね。

＜15歳で制作した「宵」が第23回河北美術展に初入選。早熟の才を見せる＞

最初の出品は洋画です。周囲の反応は特にありませんでした。私が賞に執着しないからでしょうか。築館で巡回展もあったようですが、記憶にありません。中学時代には既に画家になると決心していました。

両親に「高校には行かない。絵のために東京へ出る」と言ったら、ひどく心配されまして。福島の叔父まで来て「高校ぐらい出ないでどうする」と懇々と説得されました。それで築館高に進学しました。今思えば高校に行って良かった。甘やかされた私があのまま東京へ行っても、ろくな結果を迎えなかったでしょう。

幼年時代の能島さん（右）。左は妹の瑠吏子さん

高校で日本画を本格的に始めました。当然勉強には身が入りません。あるとき担任から「しばらく筆を折れ」と言われました。あまりに勉強しないから心配になったのでしょう。この一件は私が絵描きとなった後に、「才能を嫉妬され筆を折るよう強制された」となぜか曲解されて、世に伝わりました。先生は「少しは絵を休んで学業に励むように」との親心でおっしゃったのでしょう。この機会にぜひ

訂正したいと思います。
高校時代には東京芸大の夏季講習にも通いました。生まれた浅草の近くに親戚がいたので、芸大のある上野に通いやすかった。演芸場でデン助劇場を見たりして、楽しかったな。

◇画塾で奥田元宋氏に学ぶ

＜能島さんは築館高卒業後、多摩美大に進学。日本画家の児玉希望氏の門下生となり、生涯の師と仰ぐ奥田元宋氏と出会う＞

武蔵野美大は不合格。夏季講習にも通った東京芸大は担任に「学科で落ちる」と言われ、受験しませんでした。

大学入学と同時に、父（日本画家の能島康明氏）が師事していた児玉希望先生の画塾にも通いはじめました。児玉先生は既に高齢で、一番弟子の奥田先生に教わるよう言われました。奥田先生とはその後、私が59歳になるまで40年間の長きにわたり関係が続きます。

溝口（川崎市）の寮から東京・上野毛の美大と千駄木の画塾へ通う日々。画塾の先生方にはとても良くしてもらいました。児玉先生は他の人の絵はろくに見ないで寝ているのですが、私の番になるとガバッと起きて熱心に見てくれるんです。52、53番目くらいの弟子なのに、塾内の賞をよくもらいました。若手だった私の将来を期待してくれたんだと思います。

31歳上の奥田先生は礼儀作法に厳しい方で、遅刻などもってのほか。「僕」と言うと「わたくしと言え」と怒られる。電話応対で立腹させたことも。画家以前に人としてどう生きるかをただされました。社交性に乏しい私が独り立ちできるよう、常識をたたき込んでくれたのでしょう。

ただ、絵に関しては怒られなかった。私も奥田先生の絵はさすがだなと思っていました。年齢も性格も画風も違うのに、芸術に対する考え方は一致していました。真摯《しんし》に絵に向かう姿勢からは多くを学びました。

〈美大では森田曠平《こうへい》氏、横山操氏らに学ぶ。大学2年、19歳で「卓上」が早くも日展初入選を果たす〉

「卓上」は枯れたヒマワリと花瓶を描いた静物画です。当時、枯れたものに興味がありました。画面は灰色が基調。実はお金がなく、他の色を持っていなかったというのも理由の一つです。

日展入選後、画塾を一度破門になりました。門下生は庭掃除など雑事を行うのですが、私は率先するほど気が回りません。学校行事が重なり、連絡を入れずに休んだことで、周囲から「てんぐになっている」と反発を受け、とうとう奥田先

奥田門下生の新年会。能島さん（手前左端）と奥田氏（手前中央）は40年にわたり師弟関係となる＝1977年

生から「しばらく来るな」と言い渡されました。許され、再び入門したのは約2年後、卒業してからです。

破門の間、森田先生と横山先生の2人に教えていただけたのが一つの救いでした。森田先生は偶然自宅が近く、よく遊びに行きました。農家を1軒借りてアトリエにされていて、制作作業をのぞかせてもらいました。自分の弟子のように思ってくれていたそうです。

横山先生は気配りが細やか。悩みながら訪ねると察して励ましてくれる。「居間の暖炉に飾れるものを描け」と言われました。決して商業主義ということではなく、世に受け入れられる絵を目指せとの意味です。大学、画塾それぞれの先生方のおかげで今の私があります。

破門の間は日展ではなく河北美術展に応募し、第30回展で「邪鬼」が河北賞に選ばれました。友人と旅行した京都の寺の四天王像が題材です。興味を持ったのは四天王に踏みつけられる邪鬼の方。うずくまって耐えながらも笑みさえ浮かべているように見える鬼たちが人ごとでなく、いとおしく思えました。

◇東北の風習を追い求めて

＜1972年、28歳で「生きる」が初の日展特選に。75年、「日食」が再び日展特選を獲得。画壇の最前線に躍り出た＞

「生きる」は家族と、かごの中でくるくる走るハムスターを描いた作品です。一見だんらんのようで、閉じられた社会でもがきながら生きる人間の姿がハムスターに投影されています。

特選を1度取ってすぐに絵で食べていけるようになったわけではありません。

多摩美大を卒業後、深く考えずに画家を目指しましたが、生活のためのアルバイトが続きました。出稼ぎ労働者に交ざり、深夜に線路の保守作業をしました。明け方に帰宅して、日中に絵を描く日々です。

安定には程遠かったけれど、苦しいとは思わなかった。美大生の頃も建設現場でつるはしを握ってアルバイトしていました。肉体労働が性に合っていたんでしょうね。よみうりランド（東京・稲城市）のレストランの基礎工事は私がお手伝いしました。

絵で食べられるようになったのは2度目の特選の後です。世の中の景気が上向き始め、画商さんから絵の依頼が入り始めました。

「日食」は恐山のイタコが題材。この頃から東北の風習を取り上げ始めました。それまで故郷を顧みることはなかったのですが、自分のルーツを見つめたくなったのです。恐山に3〜4年通い、絵の人物に自分や母も入れました。

＜36歳で日展審査員を務め、81年には同展会員。翌年に「黒川能」が同展会員賞に輝く＞

初めて本格的に鶴岡市の黒川能（国指定重要無形民俗文化財）を描きました。その後、生涯をかけて追い求める題材となります。

きっかけは美大2年生の頃。鶴岡出身の同級生、加藤景一君と8畳間を借りて共同生活をしていた時期があり、彼の帰省に付いて行って見た黒川能の着物の古い匂いや役者の息遣いにすっかり魅了されました。当時は舞台が今より間近に見られたんです。熟成期間を経て作品になりました。

能はあの世とこの世の間の情念を表現する芸術です。登場人物には幽霊も多い。世界観に入り込んで描いていると、あの世に引っ張られそうになります。とどまりながら制作するのは体力が要ります。描き終えるとへとへとになりますが、黒川能には東北の心が凝縮していると思うのです。加藤君はその後、郷里で美術教師になりました。

日展審査員の話が持ち上がった時、ありがたい半面、困ったなと思いました。父（日本画家の故能島康明氏）が出品していたからです。息子が父を判定するなど気持ちの良いことではなく、まして身内びいきをしたなどと思われるのは何より嫌でした。

推薦者の日本画家・高山辰雄さん（故人）には事前に「父の作品に（入選の）挙手はしないつもりだ」と言いました。「いい絵なら堂々と挙げればいい。駄目だと思えば挙げない。それが全てだ」と言ってもらえ、最終的には挙手しました。日展には弟の能

「黒川能」が日展会員賞に選ばれ、授賞式に臨む能島さん（右）＝1982年

島千明や娘の浜江ら身内の画家が他にもおり、審査は悩みの種。当然、通常の公正さ以上の厳しい目で臨みました。

◇栗駒山麓に移住、自然描く

＜能島さんは1996年、栗原市栗駒耕英地区の栗駒山麓にアトリエ兼自宅を構え、横浜市から一家4人で移住した＞

新たに風景画に取り組むためです。私は器用ではなく、ちょっと旅行に行って絵を描くようなことができない。その土地に住み、その場の空気を吸いながら腰を据えて挑戦したいと思いました。幾つか候補地が頭に浮かびましたが、少年時代に毎日眺めた栗駒山があるじゃないか、とはっと気付きました。

ただ実際に移住までするのはどうか。思案していると、なんと妻や当時小3、小1の娘2人が「山で暮らしたい」と言いだしました。以前にスケッチ旅行で訪れた際、気に入ったそうです。東京で生まれ育った妻までも賛同したことには驚かされました。

家族4人と犬2匹で山の暮らしが始まり、それは楽しい日々でした。耕英は開拓で開かれた土地で、住民は皆、温かく気のいい人たちばかり。住民同士の間柄が近い分、酒盛りをしていると、取っ組み合いが始まったりするんです。大人が本音で生きる姿は都会育ちの娘たちには新鮮でした。

毎日、野良仕事と山菜採りをしました。冬はスキーざんまい。野菜やキノコのお裾分けもたくさん頂きました。誰が持ってきたのか「お使いください。開拓時代に使ったものです」と書いた紙の上に、古い灯油ランプが置いてあったこともありました。

娘たちが通った分校は全校生徒４人。地域の人が熊よけの鈴をプレゼントしてくれました。娘たちは先生方と地域に見守られながら伸び伸び育ち、私もＰＴＡ会長を２回務めました。娘はいつの間にかすっかり地域に溶け込み、卒業式の日には地域の人が涙で送り出してくれました。

＜自然に抱かれた暮らしは、能島さんの創作意欲をかき立てた＞

山を歩いていると「四季のリズムに身を乗せなさい」と言われるような気がします。早春のフキノトウ、ブナ林など身近な自然を描きました。紅葉で燃える栗駒山から立ち上る気品と気迫は、私が題材として追い求める黒川能と相通じるものを感じました。

一方で自然の厳しさも体験しました。武蔵野美大の講師もしていたので、東京に毎週通っていました。ある冬の東京か

移住した栗駒山麓の大自然の中で風景画を描く能島さん＝2002年、栗原市

らの帰り道、猛吹雪で車が立ち往生して雪だるまに。知人の車が通り掛かり事なきを得ましたが、危うく死ぬ寸前です。ここは神の住むべきところなのかもしれない、と畏れに似た感情が湧きました。「能島は中央画壇を去った」と冷やかされたりもしましたが、栗駒山にアトリエを構えることがなかったら、私の画業はどんなにつまらなくなっていたことか。もし私の絵の中に少しでも魂が宿っているとしたら、それは栗駒山に住む、木や人や風の神様から頂いたのかもしれません。

栗駒で暮らしている間、築館に住む両親が他界しました。近くに住んでいたおかげで、いまわの際に間に合った。迷惑ばかり掛けたけれど、最期に近くにいられたのは親孝行になったかな。栗駒山での生活は娘の中学進学に伴い6年で幕を閉じました。今も折に触れ栗駒には通っています。

◇震災の苦しみ　大作に昇華

＜2008年、岩手・宮城内陸地震が発生。能島さんがアトリエを構え、創作の拠点としていた栗原市耕英地区が大きな被害を受けた＞

アトリエは食器棚が倒れるなどしましたが、建物や作品は無事でした。しかしすぐ裏手のブナ林が大崩落に巻き込まれ、辺りの風景がすっかり失われてしまいました。

発生当日は横浜市の自宅にいました。実は前日に耕英入りする予定でしたが、直前に延期したんです。予定通り行っていたら、崩落に巻き込まれていたかもしれません。

1996年から6年間耕英地区に移住した時にお世話になった人たちが被災しました。居ても立ってもいられず避難所に駆け付けました。正直、私は何の役にも立ちませんでした。ただ一緒に雑魚寝して、自衛隊の風呂に入って。無力感ばかりでしたが、とにかく皆と一緒にいたかった。それで気が休まりました。

ショックでしばらくは筆を握れませんでした。ですが地震の数週間前、これまでになくブナ林が神秘的な美しさに包まれた日があり、スケッチしていたんです。これを何とか完成させたい。気力を奮い起こして描き、「権現の刻（消えた風景）」と題して09年の河北美術展の特別作品としました。失われた景色は戻りませんが、耕英への愛着は今も変わりません。

＜11年、東日本大震災が発生。能島さんは14年に大作「東北の地よ（花皆折れた日）」を完成させる＞

横浜で制作作業をしていて、ぐらぐらっと来た。テレビをつけると名取市に津波が押し寄せていました。

震災後、すぐに絵を描かなくてはと思いました。古里と同じ悲しみ、苦しみを感じたかった。しかし、描けませんでした。受け止めきれなかったんです。絵を描くこと自体は平気だったのですが、震災のこととなると手が止まりました。

震災を題材とした絵は描けるようになるまでに3年かかりました。時間がたって、ある程度冷静に見られるようになったのだと思います。

それでも三陸沿岸に取材に行くと、頭が痛くなり、肩はガチガチに張りました。制作に取り掛かっても、ずっと痛みが取れなかった。

何とか作業を進めるうち、お彼岸の頃、すっと痛みが取れました。そこから一気に描き上がりました。妻は制作部屋から線香やお花の香りがしたと言います。亡くなった人か、あるいは不思議な力が手助けをしてくれたのかもしれません。

絵は黒を基調の画面に、彼岸花を手にした十一面観音菩薩《ぼさつ》を大きく描きました。像の足元は犠牲者を暗示する折れた花が囲む一方、オキナグサの種子が舞っています。建物は全て流されても花は残る。命は続くという思いを込めました。

日展で公開すると人だかりができ、涙を流している人が大勢いました。日本中の人が東北を思ってくれて、ありがたいことだと感じました。「能島はあの絵から変わった」「すごみを増した」と言う評論家や美術関係者がいたと、後に聞きました。

自宅アトリエで「東北の地よ（花皆折れた日）」に取り組む能島さん＝ 2014 年

◇年々高まる東北への思い

＜能島さんは2016年10～12月に東京・国立新美術館で開かれた日展に、古代蝦夷《えみし》の英雄・阿《あ》弖流為《てるい》を題材にした「滅びざるもの（蝦夷・阿弖流為）」を出品した＞

阿弖流為は2015年に一度、知人のために描きましたが、日展に出すのは初めて。長年ずっと描きたいと思い続けてきました。制作過程では思い入れが強すぎて空回りし、生みの苦しみと格闘しました。

朝廷軍の侵略に30年以上も抵抗してきた阿弖流為が、荒廃した郷土と民衆を前に、ついに坂上田村麻呂の軍門に下る決意をする逸話が基です。北上川の夕焼けを背景に、折れた矢と刀が平和への思いを、片膝の姿勢が不屈の精神を表しています。

大切なものを守るため、自らの首を差し出した阿弖流為に自分を重ねてしまいます。侵略され、固有の文化さえもぎ取られようとする瀬戸際で必死に立ち向かった。東北を象徴する、実に魅力的な存在です。

年齢を重ねるにつれ故郷の築館や東北への思いが高まっていると実感します。根は結局、東北人なんだな。若い頃は郷土なんて全然顧みなかった。早く東京で画家になりたいとばかり思っていましたから。

しかし振り返ってみると、題材として強く興味を引かれたのは恐山のイタコ、黒川能、阿弖流為だったりして、心の底には常に東北があった。少年時代を過ごした築館の風土が源流にあり、画家になった後に一時移住した栗駒山の大地が感性を鍛えてくれた。

＜２０１３年に日本芸術院賞を受賞。14年には河北文化賞に選ばれ、日本画家の父・故康明さん（１９９８年受賞）と親子２代での受賞となった。画業は円熟期を迎えている＞

80歳までは冒険を重ねて挑戦するつもり。80歳を過ぎたら悠々と好きなものを描きたい。肩の力を抜けば新しい世界が開けるかもしれない。手抜きではないですよ。自由に別の描き方を探すということです。結局挑戦じゃないかって？　そうかもしれませんね。

体力は衰えてきていますが、今が最も充実して描ける年齢なのかもしれません。父は80歳で日展への出品をやめましたが、その手前の70代が一番いい作品を描いていました。

今でも制作過程は苦しい。「もう描けない」と布団を頭からかぶってふさぎ込むこともあります。黒川能を題材とした絵などは、あの世とこの世の間を表現する能を描くわけですから、そのままあっ

「滅びざるもの（蝦夷・阿弖流為）」の前で来場者と語らう能島さん（中央）＝2016年11月16日、東京・日展会場

ちの世界に呼ばれかねません。耐えて描き終えるとへとへとです。

それでも絵はやはり面白いんです。没頭して、気が付くと明け方になっていることもしばしば。この年齢ですから徹夜はなるべく避けるようにしていますが、打ち込める何かがあるというのは、きっと幸せなことなのでしょう。

これからも生涯現役で絵を描いていくつもりです。一作一作が遺作となる気持ちで打ち込みます。多くの人に絵を見ていただければ幸いです。

（聞き手は酒井原雄平、２０１６年11月16日～12月21日掲載）

日本画家

福王寺　法林　さん

日本画家の福王寺法林さんは、「デッサンの鬼」の異名を取る。まさに命懸けで対象に挑む姿勢は、自らが繰り返して言う「執念」という言葉に象徴される。一方で、対象への優しいまなざしも隠し持つ。日本芸術院会員で日本美術院理事・評議員、河北美術展の審査員も長く務めるなど、日本画壇のリーダーの1人として若手作家の育成にも余念がない。

ふくおうじ・ほうりん　1920年、米沢市生まれ。本名雄一。高等小学校を中退して上京、画家を目指す。応召を経て49年院展に初入選。田中青坪氏に師事。院展で入賞を重ね、84年「ヒマラヤの花」で第40回日本芸術院賞をそれぞれ受賞。河北美術展の審査員を通算9回務めた。文化功労者。勲3等瑞宝章を受章。米沢市名誉市民。2012年2月21日死去。

◇「画家になる」執念で帰還

＜福王寺さんは、ヘリコプター取材による独自の視点で描いた「ヒマラヤ」シリーズなど、雄渾《ゆうこん》壮大な作品を相次いで発表した画業が評価され、1998年度の文化功労者に選ばれた＞

（文化功労者は）突然の知らせに驚いたが、本当にうれしく思っている。特に、絵で評価されたのは画家としての誇りだ。

思い返せば、いろんなことがあった。画家になりたくて、16歳で米沢市の実家を飛び出して上京。最初は食えなくて、アルバイトでその日暮らしをしながら、日本画の勉強をした。戦争で中国大陸に送られ、そこで終戦。やっとのことで日本に戻ってくることができたのも、「画家になりたい」という執念があったからだ。

常に命懸けだった。１９７４年からヒマラヤへは通算19回、スケッチに行ったのだが、スケッチは、チャーターしたヘリコプターの機内で、酸素マスクをしながらだからね。

でも、ここまで絵を描き続けることができたのも、妻（愛子さん）の支えがあったからだと感謝している。食えない時代もあったが、よく耐えてくれた。朝早くから絵の具を溶くのを手伝ってくれたりして…。文化功労者も、２人で選ばれた、という気持ちだ。

文化功労者に選ばれた後、福王寺さんは「これからが勉強だ」と新たな意欲を燃やした

＜福王寺さんは、文化功労者に選ばれたことを機に、気持ちを新たにしている。米沢なまりの語気は、ますます強くなる＞

78歳になったが、私にとってはこれからが勉強だと思っている。勉強する時間は限られているが、描きたい世界はたくさんある。日本画が世界に向かって発展するように、若い人を育てながら、自分も死ぬまで描いていくつもりだ。

院展の大先輩、横山大観先生は「あらん限り描け」と言った。「あらん限り、命懸けで描け」と。だから、画家は死ぬまで勉強なんだ。若い人もどんどん育ってくれれば、私にとっていい刺激になるし、それも勉強だ。長生きの楽しみにもなるしね。

◇隻眼でも「負けたくない」

＜米沢市に生まれた福王寺さんは、子どもの頃から絵が好きだった。スケッチに明け暮れた故郷の山々の風景は、画家としての感性を育んだ＞

私は8人兄弟の2番目。実家は果樹園を営んでいた。子どもの頃から、木の枝切りや接ぎ木など、父の仕事の手伝いをよくやらされたものだ。だから、今でも盆栽は好きなんだよ。

同じ木でも、ちょっと風が吹くだけで、違って見える。そんな自然の風景が好きでね。スケッチも好きだった。尋常小学校のころは、学校へ行ったふりをして実はサボって、スケッチによく行ったもんだよ。

その頃から山に対する憧れがあった。手の届かないものへの憧れ。吾妻の山々を眺めては、そんな思いを膨らませていた。絵描きになったら、世界の山ヒマラヤを描きたいと思い始めたのもその頃だ。いつか、描いてやろうと。実際にヒマラヤに行くことができたのも、子どもの頃からの夢がかなったようなものだね。

8歳の時から、米沢に住んでいた狩野派の画家上村広成先生に水墨画を習い始めた。上村先生は弟子を取らない人だったので、私が唯一の弟子。実家は、それほど裕福ではなかったので、納豆売りや新聞配達などをして、画材を買っていたよ。

尋常小学校卒業の時、壇上で上杉謙信と武田信玄が戦っているところを40分で描き上げ、皆を驚かせたこともあったな。

法林という雅号はこの頃、付けてもらったもの。上村先生と親しかった上杉家ゆかりの法泉寺の和尚が名付け親だ。「末にますます良くなる」という意味があるらしい。画家になってから、周囲には「お坊さんみたいな名前だから、本名（雄一）に戻した方がいい」と言う人もいたが、私はそうは思わなかった。昔から、将来は画家になって、法林を名乗ってやろうと心に誓っていたんだ。

実は、私は左目が見えない。6歳の時、父親と狩猟に行ったのだが、銃が暴発する事故で失明した。でも、それでくじけたりはしなかった。絵が好きだったから絵で頑張ったんだ。絵では誰にも負けたくなかった。けんかも、誰にも負けなかった。でも、学校の勉強だけは、あまり得意じゃなかったんだけどね。

今でもそうだが、私は人に負けるのが嫌いなんだ。ヒマラヤだって、誰も描いていない絵を描きたいという思いが強かったんだよ。

＜福王寺家は米沢藩の槍術《そうじゅつ》師範の家系。武士の血が流れる福王寺さんは、幼少から居合、空手、剣道などで鍛えた精神力で、ハンディを克服し、自らの目指す道を切り開いていった。画家にとって視覚は確かに重要だ。しかし、福王寺さんは、子どもの頃から視覚以上に、対象を捉える力を培ってきた。美術評論家の今泉篤男氏（故人）は、次のように評論した＞

「古来、東洋、西洋でも、画家としての出発の当初から片眼の画家というのがあったであろうか。（中略）距離感が明確に表現され、画面に示されている視野の拡がりも普通一般の画家のそれよりも優っているし、微妙な調子の統一にも鋭敏である、（中略）私は、ただ隻眼でも人間には福王寺法林のような絵が描ける！という事実に驚嘆しているのだ」（「三彩」増刊３６５号）

第 56 回院展で内閣総理大臣賞を受賞した「山腹の石仏」と福王寺さん＝ 1971 年、神奈川県箱根町、彫刻の森美術館

◇縁の下の絵の具が支えに

＜福王寺さんは１９３６年、画家を目指して米沢市から上京した。16歳の時だ＞

家庭の事情で高等小学校を中退した。親からは果樹園の仕事を手伝ってもらいたい、と言われたが、自分は絵描きになりたかった。「勘弁してくれ」という気持ちで実家を飛び出しましたよ。

東京では千駄木町（文京区）にあった２階建ての小さなアパートに住んで、日本画の研究会で勉強した。当時、研究会は東京のあちこちにあった。

最初の頃は食うことだけで精いっぱいだったね。露天で似顔絵を描いたり、映画の看板を描いたりして生活費を稼ぐ。幾らにもならなかったが、それでも何とか暮らしながら、日本画の勉強を続けていた。

＜東京でアルバイトをしながら、日本画の勉強に励んだ福王寺さんは１９４１年3月、20歳の時に応召し、米沢市の実家に戻った＞

私は目が悪かったが、甲種合格だった。片目でも射撃の狙いがうまかったらしいね。もっとも、軍隊に入ったからといって、軍隊で飯を食っていこう、階級を上げて偉くなろうという気持ちはなかったね。絵描きになるのだから、絶対帰ってこよう、と思っていた。

そんな思いを込めて、軍隊に入る前に全財産をはたいて岩絵の具を買い、実家の縁の下に埋めたんだ。緑青とか群青とかが入っている、当時は使いたくても使えなかった高級品。絶対に戦争から帰ってきて、この絵の具で絵を描こう、と誓ったわけだ。

その後、中国戦線に配属され、重慶近くの桂林で終戦を迎えるまで4年半、中国大陸を転々とした。途中、マラリアにもかかってね。現地では仲間の多くがマラリアにかかった。40度以上の熱が出て、症状がひどくなると、手りゅう弾で自殺する者もいた。それぐらいつらかった病気だ。

私は薬で治ったが、戦争が終わって日本へ帰ろうと、重慶から香港まで歩いたんだ。他の部隊も合流して仲間7、8人と一緒に。香港でインド部隊に投降したのだが、終戦から半年かかったよ。

長く苦しい戦争は、まさに命懸けの経験だった。マラリアにかかっても生き延び、半年かけて香港まで歩くことができたのも、縁の下に埋めてきた絵の具が心の支えになっていたからだよ。苦しいときは、絵の具を思い出し、日本へ帰ったら絶対絵描きになってやる、という執念で生きていたようなものだ。絵の具がなかったら、案外私も途中で、自殺していたかもしれない。それだけつらかったんだ。

<奇跡的な生還を果たした福王寺さんは戦後、画家として本格的に活動する>

復員後、院展に出品するようになって1949年、29歳の時、「山村風景」で初入選した。その前は、日展系の別の美術団体に所属していたが、院展だけに絞ったのは、横山大観先生の影響が大きかった

からだ。

　大観先生は、富士山の名作を幾つも描いたが、「大観先生の後継ぎは俺がやる」という思いがあってね。大観先生には富士の絵はあっても、ヒマラヤの絵はない。だから、憧れだったヒマラヤを院展で描いてやろうと。それ以来、ヒマラヤがライフワークになったんだ。

群馬県の谷川岳にスケッチに出掛けた福王寺さん。尽きることのない山への憧れは、ヒマラヤへと注がれる＝1955年ごろ

◇命懸けでヒマラヤを描く

＜福王寺さんは１９７４年から89年まで、毎年のようにヒマラヤへ出掛けた。ヘリコプターなどからスケッチする独自の手法で、従来の日本画にはない雄大なスケールの「ヒマラヤ」シリーズを18年間、次々と発表してきた。福王寺さんの代表作だ＞
　子どもの頃からの憧れだったヒマラヤは、１月か２月ごろの天候の良い時に行くんだ。次男の一彦（日本画家、日本芸術院会員）を連れていく。主にネパールの首都カトマンズに１、２カ月滞在して、

そこからヘリコプターや単発機をチャーターしてヒマラヤを目指す。ネパール政府の協力もあったが、燃料代だけでも1日50万円。1年間働いたお金を全部持っていくようなものだ。

ヘリだと6000メートルくらい、単発機だと7000メートルくらいまで上昇することができる。そこまで行くと8000メートル級のヒマラヤ全体がよく見える。ここでしか見ることができない風景。長いときで2時間、スケッチが終わるまで旋回してもらうんだ。

単発機だと窓を開けてスケッチする。もちろん酸素吸入しながらだけど、それでも呼吸困難になるときがある。実際、一彦は意識を失ったこともあったよ。上空は気温がマイナス30度になることもある。絵の具は凍ってしまうので、使うのは鉛筆と色鉛筆。私は力を入れてスケッチするから、すぐに、しんが折れてしまう。一彦はもっぱら削る役だったね。息子には大分助けられましたよ。

標高4500メートル付近でヒマラヤをスケッチする福王寺さん＝1978年1月

ヒマラヤには、日本にはない風景がある。特に朝。真っ暗な闇から太陽がちょっと出た瞬間、空が赤くなるんだ。日本の朝焼けとは全然違うね。いつまでも目と頭に焼き付いて離れない。白い紙に向かうと、そんなヒマラヤが今でも浮かんでくる。「この色はどうしたら出せるだろうか」などと夢の中にも出てくるんだ。

ネパールの国の花になっているシャクナゲを描いた「ヒマラヤの花」という作品がある。花や葉は日本で見るのとそう変わりはないが、高さが15メートルもあるんで驚いた。3000メートルから4000メートルくらいの所に一面に咲いているんだ。

アンナプルナ近くのゴラパニという峠よりさらに上の、人も住んでいない所。その近くにヘリコプターを着陸させ、そこでテントを張ってスケッチする。1週間くらいしたらまた、迎えに来てもらうんだ。赤、ピンク、紫のシャクナゲが一面に広がっていて、夢の中にいるような感じがする。これもヒマラヤにしかないでしょう。

ヒマラヤでは、風の音や葉の動く音もない無風状態、何の音もしない状態がある。無というか、さすがに神秘的な聖なる山だと思った。信仰の対象でもあるように、俗世間から離れた別世界があるんだ。

私は、ヒマラヤへは心の修行、心を美しくするために行くようなものだと思っている。命懸けで。執念で。そうでないと良い作品は生まれない。

ヒマラヤの、人を寄せ付けようとしない、冷たく澄んだ空気を描くのが一番難しい。描こうと思ってもなかなか絵に描けるものではない。心筋梗塞《こうそく》を2度やって、ここ10年ぐらいは行っていないが、ヒマラヤは私の一生の仕事、死ぬまで命を懸けて描く対象なのです。

◇問われる心のデッサン力

＜横山大観に心酔し、「デッサンの鬼」と言われる福王寺さんの絵に対する姿勢は、常に「命懸け」。一方、現代日本画のリーダーとして、その精神を後進に伝えようとする厳しくも、温かい一面ものぞかせる＞

日本画の魅力は色だね。色彩の美しさ。岩絵の具の魅力かな。油絵の絵の具では出せない。色の出し方、重ね方、塗り方などテクニックはさまざまあるが、一番大事なのは画家としての精神的なものだと思う。

私は、そういうことを横山大観先生から学び取った。例えば先生は、「富士を描くことは富士に映る自分の心を描くことだ」という意味で「富士心神」と唱えた。だから私は、その教えをヒマラヤで追求した。人の3倍も4倍も命懸けで、ヒマラヤを描いたんだ。

「心のデッサン力」。目で見るデッサンではない。写真でもない。それを絵に描くのが画家。絵描きは、絵で返事をしなければならないのですよ。

大観先生には、私が院展の審査に関わるようになって、年始のあいさつなどで度々お会いした。もっとも、「院展では酒飲めないやつは駄目だ」なんて言っていたぐらい酒飲みで、絵のことはめったに言わなかったがね。私も今は体調を崩して、酒もたばこもやめたが、当時はめちゃくちゃ飲んでたな。

若い頃師事した田中青坪《せいひょう》先生（東京芸大名誉教授）、同じ米沢市出身の美術評論家の今泉篤男さんにも教わった。２人とも亡くなったが、特に今泉さんには、ピカソやブラックの生き方など世界の美術について勉強させてもらった。おかげで私は学校に行かなくても、絵の世界を学ぶことができた。

今の学校では、「型」ばかりを教えている。それでは行き詰まってしまう。それ以上描けなくなる。世界の絵画から見るとそれでは狭すぎますよ。型は整っていても、私から見れば、その絵は生きていない。文学的でもいい、哲学的でもいい、一人一人の違う個性を伸ばしてほしい。その人の生き方そのものに関わることだ。

その点で言うと、東北出身の作家は案外、都会の人より個性的なものを持っていると思う。河北美術展（河北新報社など主催）の審査員も長年務めたが、東北には東北でしかできない生き方、育ち方がある。口下手で仕事をうまくこなす方ではないが、心で描く。下手なように見えて、非常に芸術的で高い評価を得ることがあるんだ。

今は落選ばかりしている人でも、将来どうなるか分からない。少しでも長生きして、東北の作家のさまざまな個性を見てみたい。それが楽しみでもあるね。

福王寺さんが第72回院展（1987年）に出品した「ヒマラヤ残照」（193センチ×375センチ）

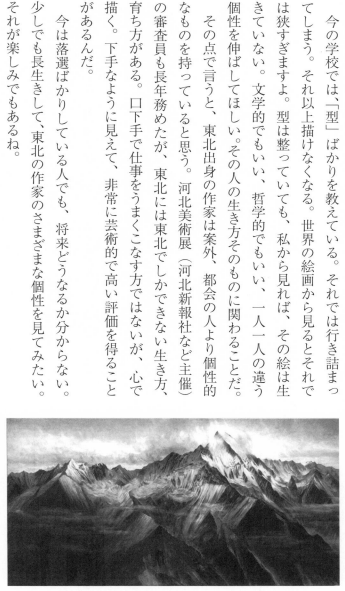

芸術家には、バリバリと燃えるような時期がある。そういう時期はとことん描くんだ。ヒマラヤもそうだが、それ以前、その日暮らしのような生活をしていた1961年ごろは、落ち葉ばかり3年間描いていたな。

落ち葉は、風に吹かれて自然にできた生け花。「わび」「さび」というか深い感じがある。花よりも美しく見えてね。そればかり追いかけていたよ。

繰り返すようだが、大観先生は、とにかく「あらん限り描け」と言った。命懸けで描けと。そのことは、自分でも肝に銘じて、これからも描いていく。今もバリバリ燃えているからね。

そして、画家としての生き方みたいなものを示し、若い人に教えていきたい。

(聞き手は玉応雅史、1998年11月19日～12月17日掲載)

日本画家

工藤　甲人さん

日本画家の工藤甲人さんは、心の闇の中から芽を出したイメージを膨らませ、神秘的な世界を画面に繰り広げる。草木、昆虫、小動物…。モチーフは、古里である津軽の風土で培われた。東京芸大教授を退官後も、絵画団体「創画会」の重鎮として意欲的な制作活動を続ける。自ら「カタツムリ」に例えるように、じっくりと、決して休むことなく一歩一歩前進してきた画家人生だった。

くどう・こうじん　本名儀助。1915年弘前市生まれ。34年上京、川端画学校で学ぶ。39年新美術人展で「樹夜」が入賞。51年新制作展で新作家賞。63年日本国際美術展で神奈川県立近代美術館賞、64年現代日本美術展で優秀賞。創画会結成に参加。88年芸術選奨文部大臣賞。東京芸大名誉教授、弘前市名誉市民。2011年7月29日死去。

◇蝸牛のようにゆっくりと

＜工藤さんは神奈川県平塚市に住む。画家を目指して19歳で上京したが、応召し、戦後は古里に戻って絵を描いていた。再び中央に活動の拠点を移したのは1962年、47歳の時だった＞

東京へまた出ることになったのは、福田豊四郎先生（日本画家、秋田県小坂町出身）の推薦があっ

「古里、特に春先のことを思うとぞくぞくするね」と語る工藤甲人さん＝神奈川県平塚市の自宅

て、東京の画廊で個展を開いたことがきっかけでした。画廊の社長に「東京に出てきたいけど、どこがいいでしょうね」と尋ねたんですよ。そうしたら「東京は画家が住む所ではなくなりますよ。湘南がいいですよ、気候もいいし」と言って、アパートを紹介してくれたんです。

今はサッカー（Jリーグの湘南ベルマーレ）や七夕祭りで知られていますが、当時は（平塚が）どこにあるかも分からない。地図で探したりしてね。知っている人は周りには一人もいなかった。

初めは1人で住んで、翌年、家族を呼び寄せました。長男は中学生、長女は高校へ入学する直前でした。どこに入れたらいいか分からなくて大変でした。でも住んでみると海も近いし、いいですね。

東京芸大教授を退官（１９８３年）した後、沖縄県立芸術大の客員教授を務めていましたが、それも98年に辞めました。今はどこにも行かず、絵を描く毎日です。

＜工藤さんの雅号「甲人」は、古里にそびえる八甲田山に由来する。八甲田のような存在の画家になりたい―。そんな思いが込められている＞

「甲人」を名乗るようになったのは、結婚した翌年、１９４８年になってからです。それまでは「八甲」でいったんですよ、私は。福田先生は「ハチ公、ハチ公」と呼んでましたよ。ただ、甲という字は棒が一本伸びていて立て札みたいで、どうも（落款の）はんこの字の納まりが悪いんですよ。そこで字を逆にしようと思ってね。「甲八」じゃおかしいから、八の字をくっつけて人にして「甲人」としたんです。

自宅にあるアトリエは「蝸牛居《かぎゅう》」と名付けました。蝸牛というのはカタツムリのことです。なぜそうなったかというと、私は遅いんですよ、全てにね。（初期の頃所属していた新制作協会の）会員になったのも一番遅い方だし、東京へ再び出てくるのも50歳近かったしね。「ゆっくリズム」で行こうという気持ちを持っているんです。

カタツムリは小さいけど、結構動いているんです。誰も注目しない間も意外に進んでいる。それから後ずさりしないんですよ、進む一方で。そして、歩んだ後にかすかな痕跡を残す。そんなところが、私はいいなと思っているんですよ。

◇雑誌の日本画に心燃やす

＜工藤さんは、青森県百田村（現弘前市）で生まれた。５人きょうだいの次男。実家はリンゴ農家だった＞

私ね、どうして画家になったのか不思議に思うことがあるんですよ。小学校の頃は図画は苦手で、むしろ嫌な学科でした。体操と唱歌も苦手。その代わり国語と歴史が好きで、特に作文は成績が良かった。思い当たるのは、小さい頃の性格が影響しているのかな、ということです。どちらかと言えば孤独で、1人で細かい所を見るのが好きでした。例えば家の畳の目とか、戸や障子の敷居とかね。よく親から「何見てるの」と言われましたよ。

腹ばいになって見ていると、童話の中に出てくる「こびと」になったような気持ちになるんです。敷居の溝が道路に見え、店や家があって、人が行き交い馬車が通る。そんな物語を想像しながら見ているわけです。アサガオの花を見れば、きれいだなと思うだけじゃなくて、中に入って住んでみたいと思う。そんな性格が私の画家としての原点ではないかと思いますね。私の絵は見たものをそのまま描くということはなくて、幻想的だと言われるんですが、そういう画風にも影響していますね。

〈子どもの頃の工藤さんは、詩や童話が好きな文学少年だった〉

高等小学校の時に、友達から作文を集めて手書きの回覧雑誌を作ったこともあります。私は童話みたいなものを書いた。本の題名を「少年文壇」と付けたりしてね。

西条八十や北原白秋の詩集を読むようになって、詩人っていいなあと憧れました。14歳の時、父が亡くなったのですが、葬式の日に焼香しながら心の中で「僕は詩人になります」と誓ったことを覚えています。

卒業する頃、詩人にはどういう人がなっているのか、弘前の図書館で調べたことがあるんですよ。そしたら、小学校を出ただけという人はいない。旧制中学や大学を出た人がほとんど。こりゃ駄目だと思いましたね。父親を亡くしていて、そういう環境になかったからね。

私は、自分はこの村を出て何かをやらなければならない人間だ、と強く思い続けていました。それは7歳の時に忘れられない経験をしたからです。

近くの店先で友達と遊んでいたら、修験者が来たんです。そこで弁当を食べた後、私たちが遊んでいた竹馬を借りて乗ろうとしたりしてにこにこしていたんですが、急に真顔になって、私を指さすんですよ。大きな声で「この子はここにいる人じゃない。何かをやる人だ」という意味のことを言った。怖くなって、走って家に帰った。子どもでしたが、意味は何となく分かっていました。それからは一種の暗示ですね。植え付けられてしまったんですよ。

〈そんな工藤さんが画家になろうと思ったのは、娯楽雑誌「キング」で見た日本画がきっかけ。高等小学校を卒業して家業を手伝っていた頃だった〉

当時の大家の代表作が、折り込みのカラーで載るようになったんですよ。それを見て非常に感激しましてね。裏を返すと、作者についての解説が書いてある。幼い頃から苦労してここまでなった、というようなことがね。それにも感動した。略歴を読んでみると、都会の人はいない。私も苦労すれば、こういう絵が描けるんだなと思った。単純だね。

急に火がついて、燃え上がってしまったんですよ。図書館に行って、絵の本を片っ端から見ました。母に「東京にやってくれ」とねだるのですが、母もどうしようもないわけですよ。知り合いもないしね。随分困らせたと思いますよ。かといって逃げて行く勇気もないし、もんもんとしていました。

そんな時、東京・秋葉原のリンゴ問屋の若だんながリンゴの買い付けに来たんです。店の小僧を探しているらしいという話を聞いて、これはちょうどいいあんばいだと思ってね。母に頼んでもらった。そのまま若だんなと一緒に上京したんです。

無口で、はにかみ屋だった小学校時代。後列中央が工藤さん＝ 1928 年 3 月

◇人生決めた友・師と出会う

＜１９３４年にリンゴ問屋の小僧として上京した工藤さんは、働きながら川端画学校に通い始める。そこで生涯忘れられない親友と出会った＞

もとよりリンゴ屋になろうという気持ちがないわけですから、リンゴ問屋は3カ月ぐらいで辞め、絵の勉強をするため、京橋の新聞販売店に住み込みで働き始めました。

川端画学校は、今の東京ドームのそばにありました。そこで、西村勇君に出会ったのです。西村君は、私より2歳年上で、京都の祇園の生まれでした。京都と津軽ですから育った環境は全然違うんですが、どういうわけだか気が合いました。

新聞販売店はとても良くしてくれたんですが、相部屋の中で紙を広げて絵を描くのは気兼ねして大変でした。それを話したら、西村君が「おれの下宿に来て一緒にやらないか」と言ってくれた。「仕送りで生活費も何とかするから心配するな」とね。そこで、西村君の所に移ったんです。新聞販売店にいたのは1年半ぐらいでした。

頭が良くて、美術に詳しい人でした。私を弟みたいに思ってくれたんでしょうね。「絵がうまいだけじゃ駄目だ。精神的なものを学ばなくては」と、私に毎晩、絵の理論を講義をするわけですよ。ルネサンスからフォービズム、キュービズム…。シュールレアリスムの絵があるのも初めて知った。ただ、心苦しかったですね。全て世話になっているわけですから。２年ぐらいして、新聞広告で見つけた世田谷にある友禅の染物屋に雇われたのを機に、自分で部屋を借りました。

１９３７年になって盧溝橋事件をきっかけに日本が戦争への道を歩み始め、若い人が出征するようになり、絵どころの話ではなくなってきた。いつ召集令状が来るか分からないわけですから。それでも、お互い将来の希望を語り合っていました。

西村君も私も39年に召集されました。西村君の方が1カ月早くて5月だった。出征の前の晩、「明日、東京駅で別れてからこれを読め」と、手紙を渡されました。

そこには、私の絵をさまざまな角度から批評しながら「甘い夢を見ないで頑張れ」ということがびっしり書いてあった。西村君はその後、中国で戦死しましたが、私はこの手紙を彼の遺書だと思って持っています。今読んでも励まされますね。

＜工藤さんにとって、秋田県小坂町出身で、戦後日本画の新生面開拓の指導者といわれる福田豊四郎さんとの出会いは、画業の方向を決める大きな出来事だった＞

福田先生が中心となって結成した新美術人展の第2回展（1939年）に初出品した「樹夜」がいきなり受賞したんです。びっくりしましたね。授賞式で初めてお会いしました。間もなく、弟子にしてもらおうと家を訪ねたんですよ。すると「弟子は取ってないよ。絵は1人で研究して1人で発見するものだ」と言うんですね。「それはそうでしょうけども、私は何も描けないんですよ。どうしたらいいでしょうか」と聞いたら、「うちで月に1回、5、6人が集まって研究会をしているから、絵を持ってこないか」と言ってくれた。

研究会といっても、出てきた絵について先生が一言言って終わりというのではありません。先生自身も出品して、お互い批評し合うのです。純粋な意味での研究会で、感心しました。

一生懸命描いて「少し褒められるかな」と思って出すと、さんざん言われる。「才能がないのかな」と思って、しょんぼりして帰りました。

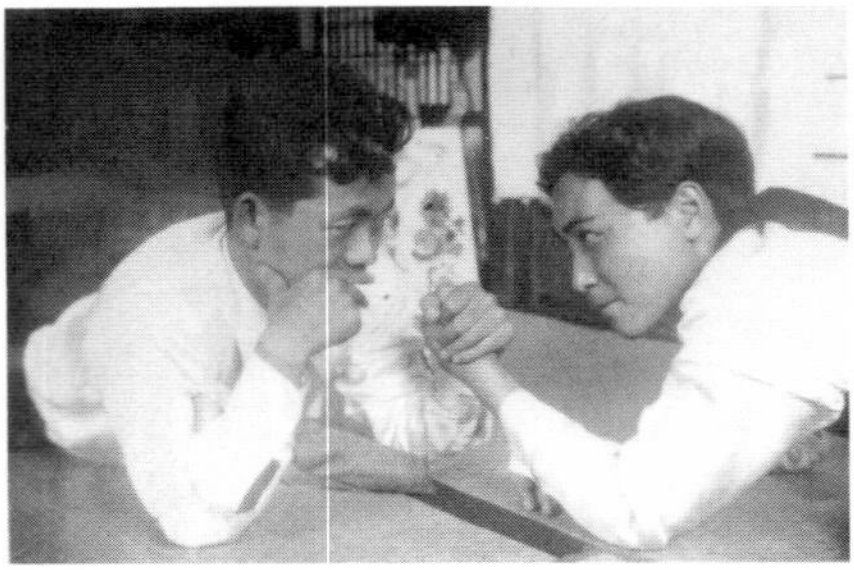

西村勇さん（左）と腕相撲に興じる工藤さん＝1935年

逆に「これはやられるな」と思って出すと、褒められたりするんですね。福田先生はあまり褒めませんでした。そこで展覧会で頑張ろうと出品して賞に入ると、喜んでくれましたけど。酒が好きな人で、新橋によく連れていってもらって飲みました。
福田先生から学んだことは、故郷を愛するということです。先生は若い頃から才能を発揮した人ですが、一貫して風土に根差した絵を描いた。これは一生の仕事なんです。大きな影響を受けましたね。

◇古里で絵と自分見つめる

＜召集された工藤さんは第2次世界大戦中、満州（現中国東北部）にいた＞
私は兵隊でありながら、絵を描くことができたんですよ。師団司令部に配属されたんですが、師団長が絵が好きな人でね。普段は参謀部の情報室で電話を取ったり、帳簿の整理をしたりしているんですが、時々呼ばれて「あそこの風景を描いてこい」と命令される。絵に一家言持っている人で、描いている最中にもあれこれ指図されましたが、昔の「お抱え絵師」みたいなもので、大事にされました。
１９４５年3月に師団が移動することになって、私は福岡県の博多で終戦を迎えました。11月に古里に戻りました。

＜工藤さんは、その後、17年間も古里にとどまることになった＞

本当はすぐ東京へ出てこようと思ったんですよ。古里に戻って4、5日した後、リンゴを入れたリュックを背負って列車で上野へ来たんですが、改札口を出ると5、6人の男たちに囲まれて連れ出された。リュックに触って「リンゴだな。高く買うから出せ」と言う。世話になった人たちへの土産でしたから断りましたが、怖かったね。

その後、上野公園でにぎり飯を食べていたら、後ろから子どもが残りのにぎり飯を取って逃げた。逃げた方を見ると、待っている女性に渡しているんですよ。「これは大変だ。こういう所で絵は描けない。世の中が収まるまで、郷里で絵を勉強しよう」と決心しました。

長い間いるつもりはなかったんですが、47年に結婚し、翌年には子どもが生まれて、ますます出られなくなってしまったんです。

古里では実家の農作業を手伝っていましたが、それだけでは生活できなくて、絵を売っていかないといけなかった。

当時は画商もいなかったから、絵の好きな人を紹介してもらって自分で売りに行くんです。最初はなかなか難しかったね。自分の絵だから余計にね。風呂敷に絵を包んで行くんですが、遠慮があって出せない。玄関先で自分とは関係のない絵の話をしたりしてね。そうすると「工藤さん、絵を持ってきたんじゃないの。見せなさいよ」と言われたりしてね。そのうち応援してくれる人も出てきて、どうにかこうにかやっていました。

公募展への出品は続けていましたが、（当時所属していた）新制作協会の同輩がみんな会員になるのに、私はなれなくてコンプレックスを持っていました。福田（豊四郎）先生に「やっぱり駄目ですね。田舎にいるもんですから」と弱音を吐いたことがあります。そしたら「何を言うか。工藤は『世界の工藤』ではないか。何も気にする必要はない」と叱られました。

今考えるとね、古里にいた17年間が一番勉強したね。今の基礎ができたと思いますね。たった一人、絵の案や自分のやりたいことを考えたり写生をしたりして、自分を見つめる時代でした。あの時、すぐ東京へ出ていたら、私の絵はどうなっていたか。自分の周囲をきょろきょろ見回しているような画家になっていたんじゃないかな。

＜工藤さんが所属する日本画団体「創画会」は、1974年に結成された。工藤さんは創立会員でもある＞

福田先生が中心になって結成された新美術人協会が創造美術協会になり、創造美術協会が新制作派協会と合流して新制作協会日本画部になり、それがまた分かれて創画会になるという流れがあるんですが、旗印はずっと変わらない。それは「世界性に立脚した日本絵画の創造」ということです。あるゆるものを摂取しようという気持ちを持ち、どこにいっても日本の絵画であると分かる絵をつくるということですね。

1967年の新制作展に出品した「蝶の階段」。工藤さんの代表作の一つ

こう描けとか、描くなとかいう指導は一切しない。初出品でも受賞することがある。こういう会は、ほかにないんじゃないでしょうかね。誰々先生の弟子だから入選するということもない。そういうところが若い人にとって魅力があるんじゃないかと思いますね。

◇「心象と自然の融合」が鍵

＜工藤甲人さんは1971年、東京芸大助教授に迎えられた。78年には教授となり、83年に退官するまで後進の指導に当たった＞

芸大の先生になるなんて全く思いがけないことで、最初は断ったんですよ。「私は画室の人ですから」と言って。家族もみんな反対でした。今さら先生なんてやれるわけない、と。もう56歳でしたからね。そしたら、平山郁夫さん、稗田《ひえだ》一穂さんら5～6人の先生方が押し掛けてきて、膝詰め談判みたいになっちゃって。平山さんは「朝10時に来て、後は昼飯食べたらさっさと帰ってもいい」なんて言うんだよ。説得され、じゃあやってみるか、と最後には承諾した。

私ね、芸大を出ていないでしょう。だから先生ということでなくて、学部に入学したつもりで4年間勉強してみたいと思った。でも行ってみると、4年で「はい、さようなら」とはいかないんですよ。結局、定年退官までいることになりました。

芸大では学生を対象に月に1回、研究会がある。25人のクラスなんですが、普通の先生は午前中で終わる。私は午後まで延々とやりました。一番長い方でしたね。学生は大変だったと思いますよ。雑談を交えながら、（川端画学校時代の親友の）西村勇君流に絵の精神的なことを話した。彼から授かったものを伝えようとしたんです。

創画会ばかりではありませんが、若い人の中に会をやめてしまう人がいるんですよ。とても残念に思っています。どうしてやめるのかと聞くと「グループ展や個展をやっていきたい」と、みんな言うんだね。

それはいいんだけど、そうなると大作を描かなくなるんだよね。画商の依頼を受けることが多くなり、絵が生活に密着してくる。売れる絵をということで絵が小ぶりになる。そうすると何のために絵描きになっているのか分からなくなる。生活はできるからいいでしょうけど、絵を描くというのはそれだけじゃない。やりたいこと、一文にもならないことがやれるということなんですね。

展覧会への出品作なんて、あんな大作、美術館ならともかく、買う人はいませんよ。それでも、みんな命を懸けて描いている。入選するかどうかの問題じゃないんですよ。自分の発表だからね。それができなくなったら駄目だと思うな。

＜詩を愛する工藤さんの作品は、神秘的な叙情性をたたえ、津軽の風土が色濃く投影されている＞

私は別に郷土の風俗を描いているわけではない。郷土性というのは意識しないでやっているんですが、そう感じてくれるのはありがたいことですね。

私は、自分の絵が幻想的と言われるのはあまり好きではない。幻想的というと、あることないことを描いているような感じがするけれど、私にとっては真実なんですよ。

芸術というのは、普遍性がないと成り立たないんです。心から発したイメージも、自然と融合していないと見る人の共感を呼びません。心の中にイメージが生まれ、それを何とか形にしようといったん自然の中に放す。イメージと自然がうまく融合すると私の作品になる。イメージが発酵している時が一番楽しいね。

そういうイメージは決して明るい所からは出てこない。闇の中で一人、沈思黙考することですね。闇の中から光を求める感じで、植物の種が土の中から芽を出すのと同じです。でも、暗い所だけではイメージは育たない。光を求めるんですよ。芽を出して太陽の光を浴びて初めて、双葉になって成長する。

東京芸大教授時代の工藤甲人さん＝ 1982 年

津軽の冬ごもりも似たようなところがあるね。私にとって「冬の蝶《ちょう》」は、好きでよく描く題材です。成虫のまま木にしがみついて越冬する蝶ですね。羽がぼろぼろになっていても死んでいるんじゃなくて、じっと冬の寒さを耐えて、春になると飛び立つんです。あれが津軽の人の気持ちを表しているんじゃないでしょうか。

（聞き手は高橋均、２０００年2月10日～3月9日掲載）

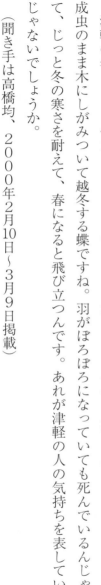

第3章　文芸

作家

高橋　克彦 さん

作家の高橋克彦さんはミステリーを皮切りに、伝奇SF、ホラー、「炎立つ」や河北新報に連載した「火怨」をはじめとする歴史小説など、多彩なジャンルで執筆活動を展開してきた。著作は約150冊にも及ぶ。今も同市に住み、東北を舞台に小説を書き続ける高橋さんに半生を振り返ってもらった。

たかはし・かつひこ　1947年盛岡市生まれ。早稲田大商学部卒。83年「写楽殺人事件」で江戸川乱歩賞を受賞しデビュー。86年「総門谷」で吉川英治文学新人賞、87年「北斎殺人事件」で日本推理作家協会賞、92年「緋《あか》い記憶」で直木賞。2000年「火怨」で吉川英治文学賞、11年日本ミステリー文学大賞受賞。同市在住。

◇苦手の作文、秘密書き克服

＜高橋さんは、父又郎さん、母つや子さんの長男として生まれた＞

子どもの頃は勤務医の父の転勤で、盛岡市と岩手県一戸町、紫波町で過ごしました。父は多忙で、夜中も往診に出向いていました。一家だんらんの記憶はなく、私と2歳下の弟は母親っ子でした。紫波町の町立病院の院長だった父は、町で病院を開業しました。

祖父も医者だったので、物心ついたころから将来は医者になるものだと思っていました。物書きを職業として考えたことは一度もありませんでした。

小学生の頃は漫画や本が大好きで、江戸川乱歩の少年探偵団シリーズや冒険小説を愛読しました。でも、文章を書くのは嫌いでした。話せば伝わることをなぜ書くのかが分からない。作文が大の苦手でした。

作家としての歩みを語る高橋さん

＜高橋さんは紫波町の上平沢小5年の時、作文への疑問を叔父にぶつける＞

母方の叔父（故木村毅さん）は当時、盛岡の祖父母の家に住み、高校で英語を教えていました。ドストエフスキーの研究者で、後に東北大でロシア文学の教授となった人です。無類の怪談好きで、お化け映画に連れて行ってくれたり、牡丹《ぼたん》灯籠などの話をしてくれたりと、かわいがってくれました。私も叔父を慕っていました。

ある時、思い余って叔父に「作文ってなぜ書くの？　何を書けばいいの？」と尋ねました。叔父は「口で言えることを書くんじゃないんだよ。お前の言えないこと、秘密を書けばいい」と言いました。

秘密といえば、転校して間もなく、体操の時間におならをしたことがありました。叔父の話を聞いて、「犯人は僕だった」と作文で告白しました。先生が褒めてくれて、「作文を書くってこういうことか」と文章への興味が湧きました。

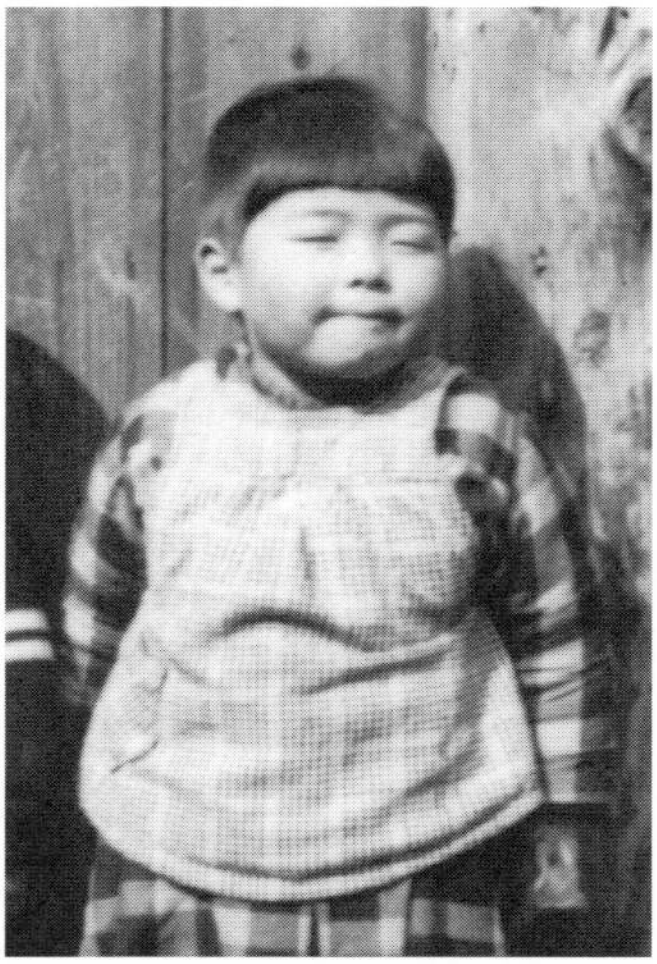
2歳の頃の高橋さん

玉山先生という若い女の先生でした。先生は、転校続きで友達と深く付き合うこともなく、どこか浮いた存在の私を引き立ててくれました。6年生の学芸会ではシェークスピアの「ベニスの商人」のシャイロック役にしてくれました。

役になりきった私はアドリブで刀を抜き、靴底で研いで見せました。客席が「ワーッ」と沸き、後で校長先生に「高橋君の芝居は良かった」と褒められました。仲間と作り上げる芝居の面白さを実感しました。この二つの出来事が、後に物書きとなる自分につながるのです。

◇欧州でビートルズと対面

＜高橋さんは中高一貫の私立岩手中学・高校に進み、演劇に打ち込んだ＞

小学校の学芸会の体験から演劇部に入りました。初めて戯曲を書いたのは中2の時。じゃんけんで負けたからです。以来、高校卒業まで十数本書きました。

第1作の「あいつ」は友人の幽霊が出てくる話です。幽霊は真実を告げる存在として、芝居によく登場させました。謎解きを組み立てるよりも一挙に解決できるからです。叔父（故木村毅さん）の影響で怪談が好きだったのも理由の一つです。

「怪談はあらゆる文学の原点だ」が、叔父の持論でした。文学は語られることに始まり、最初に語られた物語は神への畏敬や霊の鎮魂だというのです。叔父には文学の基礎を教わりました。叔父がいなければ今の自分はありません。

高2で部長になり、岩手県高校演劇連盟の連盟長になりました。連盟長たる者、演劇人であらねばと、雨が降ると学校を休む、教室にカツ丼の出前を頼むといった奇異な行動をわざと取るようになりました。200人中20番台だった成績は190番台にまで落ちました。

父の病院を継ぐつもりだったので、さすがにまずいと思いました。でも今更、真面目にもなれません。自分はどうなるんだろうと不安感にさいなまれました。

岩手高校２年の頃、演劇部の仲間と集う高橋さん（前列右端）

＜高校を1年休学し、欧州を旅行する。ロンドンでは憧れのビートルズとの対面を果たした＞

大学生のいとこが「休学して欧州を回りたい」と父に借金を頼みに来ました。現状を抜け出すいい機会だと思い、一緒に行きたいと父に頼むと、あっさり認めてくれました。

１９６４年８月から約８カ月、欧州を回りました。東京五輪の年で、現地は日本ブームに沸いていました。質問攻めに遭いながら、禅や浮世絵を語れない自分が情けなくて、帰国したら学ぼうと心に決めました。

ビートルズのファンクラブの配慮でロンドンの公演会場を訪ね、４人に会いました。英語は分からなかったけれど、親しく話し掛けてくれ、一緒に写真を撮りました。当時の会報に「アジアの果てから来た若者」と載ったそうです。

帰国後は１学年下に復学しました。年下に負けじと勉強したこともあって、成績は戻りました。戯曲にも真剣に取り組みました。

初めて書いた小説は中３の時の「ミコとデイト」。歌手の弘田三枝子さんに会う夢を物語にしました。小説を熱心に書くのは高校卒業後ですが、戯曲は文章修業になりました。

◇浮世絵研究生かし作家に

＜高橋さんは開業医の父親の跡を継ぐために医大を目指したが、受験に失敗。３浪後、早稲田大商

学部に進んだ＞

浪人時代は仲間と同人誌を作りました。小説を書く一方で、吉行淳之介や立原正秋らの小説を手当たり次第に読みました。欧州旅行で興味を持った浮世絵は、歌川国芳や豊国の画集などをよく見ました。小説と浮世絵が心の支えでした。

3浪目に入った時、弟が「兄貴の代わりに医者になる。兄貴に好きなことをさせて」と言ってくれたため、早大商学部に進みました。当時活躍した著名人の多くは「早稲田中退」。私も文芸誌の新人賞を取って大学を中退し、物書きになると決めました。

大学2年の時、小説現代新人賞の3次審査まで残りました。編集長からは「小説家になりたいのなら、10年書くのをやめなさい」と言われました。このまま作家になっても行き詰まる。10年我慢して心に引き出しを持ちなさい。そうしたら責任を持って作家にする、というのです。人生の目標ができた気がしました。

小説を書かないとなると、浮世絵しかありません。国内有数の浮世絵の文献がある大学図書館に日参し、独学で勉強しました。

卒業間際に妻（育子さん）と入籍しました。卒業の2年後に「浮世絵鑑賞事典」を出した縁で久慈市のアレン短大（後に東北文化学園大に統合）から講師の話があり、1978年に盛岡に戻りました。「10年」の約束をすっかり忘れて講師の仕事に専念しました。

＜盛岡市の中津文彦さん（故人）が、1982年に「黄金流砂」で江戸川乱歩賞を受賞した。それに触発された高橋さんは小説執筆を再開し、83年「写楽殺人事件」で同賞を受賞、作家デビューを果たした＞

中津さんの受賞を伝える新聞記事にショックを受けました。本の発売日に買って読みました。義経の北行伝説を素材にした歴史ミステリーでした。来年応募すると妻や知人、友人に宣言して退路を断ちました。

題材は東洲斎写楽に決めました。秋田県角館町（現仙北市）などで取材するうち、推理小説の中に写楽論が入り込む形になり、5カ月で550枚を書き上げました。

受賞したことで物書きになれると思いました。再会した編集長には「才能も感じられず、しつこそうな作家志望には、誰にでも10年書くなと言って体よく追い払った。物書きになったのはあなたが初めて」と言われました。真意はともかく作家への道を開いてくれた恩人の言葉です。あの日から12年がたっていました。

江戸川乱歩賞の授賞式で、師と仰ぐ作家都筑道夫さんと談笑する高橋さん（左）＝1983年、東京都内のホテル

◇小説に等身大の自分投影

〈１９８３年、「写楽殺人事件」で江戸川乱歩賞を受賞し作家としてデビューした高橋さんは、初の長編を手掛ける。河北新報に84年３月～85年４月に連載された伝奇ＳＦ「総門谷」だ〉

河北新報社から依頼があったのは受賞から約２カ月後の83年８月。「写楽殺人事件」は出版されていません。１冊も本が出ていない新人に機会を与えてくれました。

本当に書きたかったのはミステリーではなく、好きな怪談かＳＦでした。依頼された時は既に、岩手の地下帝国にまつわる話の構想を持っていました。子どもの頃から世界の謎や神秘に引かれ、予備校時代に人類史と宇宙人の関わりを説くスイス人作家、エーリッヒ・フォン・デニケンの本に衝撃を受けました。いつか書こうと、関連する本や資料を集めていました。

新聞連載は緊張が続く厳しい仕事でした。本が出ると「ミステリー以外は書くな」と反対した編集者が「書きたい思いにあふれている。高橋さんはこういう小説の方が合っているのかもしれない」と言ってくれました。この小説を書かなければ、その後、ホラーや歴史小説といった多様な分野を書き分けることはなかったと思います。

〈高橋さんは92年に「緋《あか》い記憶」で直木賞を受賞する〉

自分を等身大で投影した小説を書けないかとずっと考えていました。ホラーという形を借りて、自分のことを書いたのが「緋い記憶」です。

　直木賞は候補になる段階で辞退するつもりでした。NHK大河ドラマ「炎《ほむら》立つ」の原作の仕事が決まっていて、落ちたら格好悪いし、NHKに迷惑を掛けると思ったからです。

　そんな時、妻（育子さん）から「緋い記憶」はどういう作品かと聞かれました。「自分の分身のようなもの。一番愛着のある大事な作品だ」と答えると、妻は「私たちには子どもがいない。本は子どものようなもの。大事な子どもが旅立とうとしているのに、親のあなたに止める権利があるの?」と言いました。妻は私が予備校生の頃から私の小説を読み、支えてくれました。彼女の言葉で胸のつかえが取れ、賞の候補となることを承諾しました。

　デビュー当時、編集者に「本を20冊書くまでは作家とは認めない」と言われました。目標に達したのが「緋い記憶」の頃だと思います。物書きが自分の仕事だと、自覚を持って書くようになりました。

作家になった頃の高橋さん＝1985年ごろ、盛岡市

◇蝦夷題材に東北の今書く

＜高橋さんは1992年、安倍貞任や、藤原清衡から泰衡までの奥州藤原4代を題材にしたNHK大河ドラマ「炎立つ」の原作を書いた＞

地方の視点から奥州藤原氏の歴史を書いてほしいと依頼されました。国がふるさと創生の名目で1億円を各自治体に交付するなど、地方に目を向けようという動きがあった時期でした。

その1年ほど前、取材で訪れた京都の山中で道に迷った時、おばあさんに出会いました。家でお茶をごちそうになりながら、山奥暮らしは寂しくないかと尋ねると、「何言ってるの。南北朝時代は後醍醐天皇の皇子が逃れてきて…」と聞かされました。おばあさんが土地に誇りを持っていることに感動し、自分が住む土地の歴史を知らなければという思いに駆られました。

「炎立つ」は、敗れた側の主張を、今の東北人の思いと重ねて新しい視点で描きたいという思いで執筆しました。

資料はほとんどありませんでした。京都での出来事を思い出し、地元・岩手で伝承や伝説を探すと段ボール二つ分集まりました。東北には立派な歴史があると気付きました。

＜以降、古代蝦夷《えみし》の英雄・阿弖流為（アテルイ）を描いた「火怨」（河北新報に97年1月～98年4月に連載）など、東北・蝦夷を題材にした歴史小説「陸奥4部作」を世に出した＞

アテルイは朝廷に堂々と立ち向かった真の英雄です。いつか書きたいと思っていました。河北新報の創刊100周年記念にアテルイの話を、と依頼された時は本当にうれしかったです。

しかし、東北の視点で書くことは、通常の歴史とは違う領域に踏み込むことになります。思い込みや偏った見方にならないか、他の地域の人にも読んでもらえるかなど、不安がありました。アテルイの復権を願う河北新報社の故一力一夫会長に胸中を伝えると、「思う存分、好きなように書いてください」と励まされ、アテルイの正義を書くという思いが定まりました。

陸奥4部作を書くうち、常に受ける側として戦わざるを得ない状況に追い込まれてきた東北の歴史と主人公に共通するのは、理不尽なことに立ち向かっていく心なのだと気が付きました。そうした闘いは様相を変えて現代も続き、似た話はスコットランドと英国など全世界にあります。私は東北の過去の歴史を書きながら、今を書いているつもりでいます。

「火怨」の執筆のため、取材をする高橋さん（左）＝1996年ごろ

◇震災経て小説の重み実感

＜2011年3月の東日本大震災は、高橋克彦さんの作家活動に大きな影響を与えた＞

盛岡市の自宅にいました。書庫にある1万冊以上の本が崩れ落ち、戸が開かなくなりました。小説を書くことのむなしさを感じました。書店が閉まったままでも騒ぎになりません。本を売ってもらって成り立つ作家としては、自分の仕事はその程度かと思い知らされました。

当時抱えていた連載は主に時代小説です。時代小説は現実を重ねられません。震災と無縁の話を書くことは震災から逃げている気がしました。それが嫌でしばらく書けなくなりました。

震災関連の短編の依頼にも、ほとんど応じられませんでした。内陸に住む私に沿岸の人の胸中は書けません。震災後、最初に書いた短編「さるの湯」（11年9月）は震災と絡めた怪談です。怪談は鎮魂の文学です。鎮魂なら私にもできると思いました。

小説とは何だろうという疑問を今も引きずっています。仕事量は以前の5分の1以下に減りました。

＜11年8月、高橋さんが中心となり、岩手の作家12人が過去に発表した短編を集めた「12の贈り物」を刊行、印税を被災地に贈った。13年には、東北の歴史を俯瞰《ふかん》して話した内容が、インタビュー集「東北・蝦夷《えみし》の魂」として出版された＞

被災地の人が、子どももお年寄りも助け合い、頑張る姿をたくさん見ました。私は、苦難に立ち向かい、自分よりもまず他者を考える蝦夷の魂が東北人から失われてしまったのではないか、その心を分かってもらいたいと思って蝦夷の物語を書いてきました。でも私が書くまでもなく、東北人のＤＮＡの中に「和の心」が息づいているのだと教えられました。

蝦夷の小説を書く際に、以前と同じ気持ちで書けるかどうかは微妙です。心を強く持て、正義を貫けと声高にいう物語ではなくなるかもしれません。

震災を経て、小説とはもっと重いものだと思うようになりました。私にとって、小説は若い人へのメッセージです。伝わるものを書きたいし、伝わらないなら違う方法で届けたい。原点に戻って書きたいものを探すのか、講演など別のやり方で使命を果たすのか、模索中です。もう十分に書いたとの思いもあります。

若い頃読んだ小説からは、頑張れば何者かになれるという夢をもらいました。でも、今の若者はそうではないように見えます。若者が自分を大事にし、思う存分働くことができる。そんな未来像を思

「12の贈り物」の出版記念パーティーで話す高橋さん（中央）＝2011年8月、盛岡市内のホテル

い描けるようなメッセージを伝えていけたらと思います。

（聞き手は渡辺ゆき、２０１５年３月４日〜４月８日掲載）

歌人・評論家

佐藤　通雅　さん

仙台市の歌人・評論家佐藤通雅さんは特定の短歌結社に属さず、自ら創刊した個人編集の文学思想誌「路上」を舞台に、作歌のみならず、児童文学、短歌評論、作家論、学校教育論と思索を深めてきた。特に宮沢賢治の研究では異彩を放ち、短歌が賢治文学の原形だという見解を打ち出した。賢治にも似た生きざまを見せる佐藤さんに、半生を語ってもらった。

さとう・みちまさ　１９４３年生まれ。東北大教育学部卒。61年短歌人会入会、71年退会。65〜２００３年まで宮城県内の公立高校の国語教諭。１９６６年に文学思想誌「路上」創刊。71年日本児童文学者協会新人賞、２０００年宮沢賢治賞、12年詩歌文学館賞短歌部門を受賞。１９８９年から河北歌壇選者。仙台市青葉区在住。

◇生の命題、文芸で答え探す

＜佐藤さんは、岩手県の旧制遠野中の国語教師だった父美次さん、母ミツさんの次男として、ミツさんの実家のある前沢町（現奥州市）で生まれた＞

２歳の時に母に手を引かれ太平洋戦争に出征する兵隊を見送ったこと、前沢駅で遺骨の入った白木の箱を首からぶら下げた人々を見たことを覚えています。自宅の隣が警察署でした。敗戦後、進駐軍の軍人が署長の机にどっかりと脚を乗せる姿と愛想笑いを浮かべる署長を見て、「戦争に負けるとはこういうことなんだ」と子ども心に思いました。時代の変わり目にいた経験は、その後の生き方に影響しました。

集団生活になじめず、幼稚園を中退しました。幼稚園も小学校も、とにかく苦痛で不登校気味でした。特に遊戯や合唱などを強制されて全員で一斉にやることが嫌でした。

絵が好きで、周りは画家になると思っていたそうです。叔母が洋裁をやっており、よく遊びに行きました。もし服飾デザイナーという職を知っていたらなっていたと思います。

父は大学で漢文を学び、教師になった後も漢詩を作っていました。帰宅すると一休みしてから、漢詩作りに取り組んでいました。自作の漢詩の本をもらい、読みました。

仙台文学館ゼミナールで宮沢賢治を語る佐藤さん＝2015年6月

＜父の蔵書を読むだけでなく、近くに本屋があり、よく本を買ってもらっていた＞

米大統領リンカーンの伝記を読み、奴隷市場で白人が黒人をむちで打つ場面にショックを受けました。同じ人間なのになぜつらい目に遭うのか。近所の農家が飼う黒い牛と重なり、人間には動物を殺す権利があるのかと思い、1年間は肉を食べられませんでした。人生の命題として今も抱えています。

もう一つの命題が生きる意味です。小学1年の時に天文学者が書いた本「星の世界」を読み、「地球は数ある宇宙の星の一つでしかない。だったら、なぜ人間は生きなければならないのか」と思うようになりました。幼少期に感じた二つの命題をどう考え、表現するか。文芸の世界に入ったのはその答えを見つけるためです。中学時代に、そのもやっとした気持ちを表現したくて詩、短歌、俳句を始めました。

人格形成で中学時代の影響は大きい。戦争による母子家庭が多く、いろいろな境遇の人がいることを学びました。30年ほど前に開かれた同級会で、酔っぱらった警官をバーのママが叱り、やくざが送っていました。3人とも同級生。地位や職業、経済力に関係なく人間の付き合いができるのが中学の友人です。同級には小沢一郎さん（政治家）もいました。陸上の選手でした。廊下に立たされ女性教師に怒られているのを見たことがあります。

前沢小1年の時、担任教師や同級生と並び水沢文化祭記念美術展特等賞の賞状を持つ佐藤さん（右下）＝1949年

◇啄木を愛読、賢治は避ける

＜佐藤さんは地元の水沢高に進学、部活動は文学部に入った＞

活動は短歌と詩が中心でした。夏休みの合宿で石川啄木の古里、渋民村（現盛岡市玉山区）に行き、啄木が少年期を過ごした宝徳寺や、後に代用教員を務めた母校の尋常小学校を訪れました。日帰り合宿では、花巻や平泉に足を運びました。

父の蔵書に柳田国男の「遠野物語」の初版本があり、高校時代から何度も読みました。不思議な世界があるんだなあと感じました。幻想的なところが、後に評論に取り組むことになった宮沢賢治の世界に通ずるものがあると、今は思っています。1歳までいた遠野市は、両親が新婚時代を過ごした地。よく思い出話を聞かされ、ずっと住んでいたような感覚があります。

郷土を代表する2大文学者といえば賢治と啄木。啄木はよく読みましたが、賢治は意識して避けていました。中央の文化に劣等感があった当時の自分には、あか抜けない賢治と一緒にされたくないという気持ちがあり、泥臭さに染まる恐怖感さえ持ちました。それは高校教員になり、地方に赴任するまで続きました。

高校3年の時、日米安保条約改正阻止を大衆が求めた60年安保闘争が起きました。東大生樺《かんば》美智子さん＝当時（22）＝が国会突入デモで亡くなったのもこの頃です。

水沢高でも生徒による自主講座が開かれ、社会科の先生が講義してくれました。日教組御三家と称された岩手県教職員組合（岩教組）が力を持っており、校長も教頭も組合員でした。先生は日本国憲法の成立過程や安保の問題点を教えてくれました。幼少期に抱えた二つの命題に思想問題も加わり、大学で向き合うことになります。

＜1961年、東北大教育学部に入学し、児童文化班というサークルに入る＞

本当は京都か東京の大学に行きたかったが4人兄弟だったために諦め、岩手大か東北大のうち、入試で理科が1科目だった東北大を選びました。児童文化班に入ったのは子どもが好きだったからです。60年安保の騒然とした熱気が学内に残っていました。サークル自体が上級生のセクトの影響を受け、学習会もやりました。

そこでマルクス主義に出合いました。世界を理論で説明できる思想家がいることが衝撃でしたが、自分の考えに合わないところがありました。先進的な思想は伝統文化を否定する傾向があり、「日本文化を捨てないと主体性は持てない」と言う人もいました。

入学後まもなく短歌結社「短歌人会」に入り、作品も発表していましたが、短歌をしているなんて

水沢高文学部の研修で訪れた岩手県平泉町の中尊寺で集合写真に収まる佐藤さん（前列右端）＝1958年

口にできる雰囲気ではありませんでした。軽蔑されるのが落ちです。隠れキリシタンみたいな心境でした。

◇「路上」創刊、地方から発信

＜佐藤さんは大学時代、短歌人会で本格的に作歌に取り組みながら、サークル活動にも打ち込む。1965年に大学を卒業し、宮城県立高の国語教諭となった＞

短歌人会は当時の結社では一番開放的でリベラルでした。年齢層も若く、自由な雰囲気がありました。私が退会した翌年に、（後に仙台文学館館長になる）小池光さんが入会しました。

サークルでマルクス主義の学習会を重ねる中、全体を理論で規定することで個人の人間性を殺すことに矛盾を感じました。文学とマルクス主義は相いれない部分があり、そのはざまで揺れることが文学のテーマになります。学生運動家たちはその辺りが分かっていませんでした。観念主義が嫌になり、早く大学を出て、地に足を着け、体を使って働きたくなりました。教員となって地方で生きる覚悟を決めました。

最初の赴任地は宮城県北の若柳高。その時、初めて賢治の全体像が見えてきました。不思議な感覚です。地方で生きる覚悟を決めたことで、目をそらしていたものが見えてきたのです。賢治の生き方に似ていると感じたのかもしれません。花巻の片田舎に足を下ろし、世界的な文学の創作をした賢治が、やっと理解できました。

＜若柳高に赴任して9カ月後の66年1月、佐藤さんは個人編集の文学思想誌「路上」を創刊する＞

大学時代にジャーナリズムに依存しない自立思想誌の創刊が相次ぎました。吉本隆明らの「試行」、村上一郎の「無名鬼」、北川透の「あんかるわ」などです。マスコミの宣伝や商業主義に乗らず「何者にも頼らず自力でやる」という姿勢に引かれました。

幼少期からの命題や政治思想問題と自分の生き方の差をどう埋めるかで悩んでいた時に、これらの自立誌は精神的支えになり、自分もやりたいと思うようになりました。

実は京都や東京の大学を断念した段階で、文学で身を立てる可能性を捨てました。今と違って中央と地方の文化は決定的な格差があり、情報も遅かったからです。特に文学は、東京に行かなければいい仕事ができないと言われていました。若柳高の初年度は本当に忙しく、このまま地方で永遠に埋もれるとの恐怖さえ感じました。それを断ち切るために創刊したのが「路上」です。

短歌人会の夏季集会で栃木県の那須高原を訪れた佐藤さん（右端）＝1967年8月

＜誌名は自作の言葉「The struggle was done on the street」（闘いは路上で行われた）」から取った＞

60年安保終焉《しゅうえん》の時代が出発点という意味で命名しました。闘いは政治だけでなく、仕事や生活にもあります。観念主義では人生の答えは見つからない。他者に頼らない発表の場があることは、精神的な支えになりました。年3回の発行。最初の部数は70部。個人自立誌が相次ぎ廃刊する中、132号を数えました（2015年7月現在）。今や60年代から続く唯一の個人編集の自立誌となりました。

◇後年に残る「思想」を掲載

＜「路上」は編集から発送まで、全て佐藤さん夫妻だけでやった＞

個人でやるので規模を大きくする気はなかったです。一部の書店を除き郵送での予約購読が主体です。10部発行し10人が本気で読んでくれる雑誌にしたかった。商業誌は1万の部数があっても毎号ちゃんと読む人は100人もいないのではないでしょうか。

宣伝はしませんでしたが、次第に読者から手紙が来るなど共鳴する人が増え、手応えを感じました。仙台（駅前）にあった八重洲書房に50部を置くとすぐなくなり、ピーク時には発行部数が600を超えました。家内作業ではこれが限界と2011年に予約購読に絞って、今は230部です。価格をギリギリに抑えたのでいつも赤字。経費の半分から3分の1は自費で賄っています。

＜短歌だけでなく、社会評論や文学評論、教育問題と内容は多彩。歌人、俳人、文学者、科学者など全国から著名人が無償で原稿を寄せた＞

基本方針としてジャンルを問わず、こびを売らず、自分の表現したいものを持っている人に書いてもらう―を掲げました。気軽に書け消費するだけの原稿は載せません。時事評論でも思想まで届き、後年に残るものを求めました。高名な方（の原稿）でもボツにしたことがあります。最初は投稿と依頼が半々。投稿が増えるに従いボツに対する説明が大変となり原則、依頼原稿だけにしました。多忙にかかわらず寄稿してくださったのは、私のような生き方をどこかで求めていたからではないでしょうか。

執筆者に児童文学の清水真砂子さん、俳人の高野ムツオさん、短歌人会の小池光さん、「現代短歌・南の会」の伊藤一彦さん、舞踊家の田中泯さん、児童文学作家のあまんきみこさんらがいました。私が田中さんの妻のいとこという縁で、田中さんには初の本格的な舞踏論を書いてもらいました。お互い無名時代で、記念碑的な評論だと思います。

＜佐藤さんは1971年、短歌人会を辞めた。実力派青年歌人、若手児童文学評論家と

自宅の書斎で仕事をする佐藤さん＝1991年8月

して注目されていたころだ〉

退会のきっかけは選挙で最年少の編集委員に選ばれたことです。委員になると結社への責任が出るし、片手間では「路上」読者に失礼になる。当時、短歌人会だけでなく、児童文学の協会にも入っていましたが、組織に頼っていたら自立誌の意味がないと考え、全て辞めました。すると、総合誌からの原稿依頼がぴたりとなくなりました。もともと人に認められたいという欲がありません。その時も悲壮感はなく「賞なんていらないし、売れなくてもいい。個人誌を通じて発表しよう」と心の決着が着きました。総合誌から再び書くチャンスが与えられるようになるのはずっと後のことです。

◇「賢治短歌」の魅力を発見

〈佐藤さんは高校教師として教育評論も書き、現場から発信した〉

若柳高を振り出しに大崎市、仙台市の5校に勤務しました。管理職は目指さず、ただの教師を貫こうと最初から決めていました。作歌や「路上」で忙しかったですが、運動部の顧問など他の教師が嫌がる仕事も積極的に引き受けました。

1970〜80年代は、偏差値による「輪切り」で、現場は荒廃を極めていました。勉強する気がないので教科書を出させるまでが一苦労。家庭に問題がある子も多かった。そんな現場を知らずに高名な教育学者が唱える生徒性善説、学校が悪いという単純な図式に違和感を覚え、「路上」で学校論を書き始めました。

教師は毎日トラブル続きで惨めな思いをしていました。仙台商高、仙台高、宮城広瀬高では全校集会や授業のない時間に1人でトイレを掃除し、ごみ拾いをしました。汚さが目に余ったからです。おかげで怖いものはないと思えるようになりました。生徒も行き場のない犠牲者です。自分もぜんそくや痔《じ》の手術で体調を崩し、「同病相憐《あわ》れむ」というか、最後は生徒がかわいく思えてきました。

＜後年、佐藤さんは宮沢賢治の研究にも取り組み、2000年に「宮沢賢治　東北砕石工場技師論」で第10回宮沢賢治賞に選ばれた＞

賢治は花巻という小さな町にいながら、世界的な視点で幻想的な世界を描けた人。賢治関係2作目の「宮沢賢治から＜宮沢賢治＞へ」（1993年）では、最後に勤務した東北砕石工場があった一関市東山町に何度も通いイメージを固めました。それが「東北砕石工場技師論」につながり、なぜ命を縮めてまで働いたのかを解き明かしました。羅須《らす》地人協会

仙台高のマラソン大会で撮影者を指さす佐藤さん＝1989年10月

時代は理想と現実の間でもがいたが東山では自ら普通の労働者として生きようとしました。それを書かなければ賢治は浮かばれません。

賢治研究は童話から入り、短歌が加わりました。当時、短歌は評価されず、当初は全集にも入っていない。文学をやる前の訓練程度に思われていた。ただ、読んでみて個性的で前衛的な作風にびっくり。「これはきちんと評価しないと」と、本腰を入れました。

短歌は自分が主人公なのですが、賢治は対象との距離がなく、自然と一体化しています。発想は「超」短歌的。これまでの歌人の発想をはるかに超えていました。作歌したのは旧制盛岡中、盛岡高等農林学校時代。10代に短歌で言葉のリズムを学んだことが、生涯生きている。短歌こそが賢治文学の原形だと気付きました。

「賢治短歌」と名付けました。当時、本格的に研究した例はなく、手探りでした。歌人は賢治の短歌に関心がなく、歌人以外は解釈が的外れ。私は短歌と児童文学の両方をやっていたので、魅力を発見できた。私の評論を契機に、賢治短歌の研究が本格化しました。

◇震災に直面した「心」詠む

＜佐藤さんは歌人として「路上」を中心に積極的に作品を発表した。歌集は11冊（現在は12冊）に上る＞

宮沢賢治学会副代表理事になったり賢治研究家と言われたりしてきましたが、自分では分野にとらわれない表現者だと思っています。ただ、体質的に短歌が一番合う。短歌は五七五七七に時空の広がりを込められます。形式や枠の中で作る方が自分の思考に合っている。

一つの流派に偏らない作風で、若い時は前衛系でした。当時は啄木にはまりました。読んで分かりやすいし、岩手山や北上川など同じ風土で過ごしたからでしょうか。

私の創作は無名の人間が生きてきて何を感じ、世界をどう見たかを考えるためのものです。座右の銘とした歌は宮柊二《しゅうじ》の〈おそらくは知らるるなけむ一兵の生きの有様《ありざま》をまつぶさに遂げむ〉。宮城県若柳高に赴任し、地方に根を下ろしてやっていくんだと決意した頃に出合った歌です。

２０１２年に第27回詩歌文学館賞短歌部門を受賞したのには驚きました。歌集「強霜《こはじも》」での受賞です。「路上」が第1期終刊という時機もあったかと思います。短歌の世界は結社の力が強いので、無所属の者がもらうのは異例。賞には一貫して無欲できましたが、見識を持って選んでくれた選考委員に報いたいと思いました。

詩歌の集い「大震災と詩歌～被災圏からの発信 Part3」に出席した佐藤さん（左）。右は詩人の和合亮一さん＝2014年3月、仙台市青葉区の仙台文学館

＜2011年3月、東日本大震災が古里を襲った。佐藤さんは短歌の力について考える＞

布団に潜り1日に10～20首も詠みました。未曽有の事態に直面した自分の心を残さなければいけないという思いです。ただ、2年間一冊にまとめて刊行することはできませんでした。「何を勝手なことを言っている」という、亡くなった人の視線を感じたからです。

その間、震災の歌集を出した歌人もいましたが、ほとんどが被害がなかった地域の人。13年の冬にやっと震災後の歌をまとめ、「昔話《むがすこ》」と題して刊行しました。

河北歌壇の選者として、震災詠は庶民のためのものだと痛感しました。迫真性のある歌を詠めるのは庶民。メディアの情報で詠んだプロの緊張感のない歌とは違います。

（震災後休載していた）河北歌壇は11年5月に再開しました。減少した投稿数は、徐々に戻ってきました。これまでになく質も高い。時間がたつにつれて、被害の比較的軽度の人から家が流された人、身内を失った人も加わってきました。河北歌壇は被災者の思いを受け止める、歴史的に貴重な紙面になりました。

震災詠は記録文学の機能も果たしました。定型による短詩型文学だから多くの人が表現したい思いを形にできた。当時言葉を持たなかった子どもたちが10年後、20年後に深い文学、思想を生み出してくれる可能性もあります。新しい文学の一つとして、震災詠は深まっていくでしょう。

（聞き手は宮田建、2015年7月15日～8月19日掲載）

歌人

小池　光さん

歌人の小池光さんが、青春の残影を感じさせる第1歌集で歌壇デビューを果たしたのは32歳の時。年を重ねるごとに、何げない日常の一こまを鋭い観察眼で切り取る作風の円熟味が増した。選び抜いた言葉に独特の機知と哀歓がある。短歌創作にとどまらず、エッセイストとしても活躍する小池さんに、半生を振り返ってもらった。

こいけ・ひかる　本名小池比加児《ひかる》。1947年生まれ。仙台一高卒、東北大大学院理学研究科修士課程修了。72年短歌人会入会。第1歌集「バルサの翼」（1978年）で現代歌人協会賞。以降の歌集で寺山修司短歌賞、斎藤茂吉短歌文学賞、迢空賞など。「うたの動物記」（2011年）で日本エッセイスト・クラブ賞。07～20年に仙台文学館館長。埼玉県蓮田市在住。

◇幼い頃から文学になじむ

＜小池さんは1947年、東北初の直木賞作家だった父大池唯雄（本名小池忠雄）さんと母恭《きょう》さんの長男として生まれた。宮城県船岡町（現柴田町）で両親と弟、父方の祖母と暮らした＞

生まれたのは、槻木町（現柴田町）葉坂の国民学校分教場だった所です。戦時中に両親と祖母が仙台市からそこに疎開しました。仙台の家が空襲で焼けてしまったために戻れず、他の家族と教室に仕切りを入れて暮らしていました。年子で弟が生まれました。

3歳の時、母の出身地の船岡町に買い求めた家へ5人で引っ越しました。館山（現船岡城址公園）に近い、今で言う分譲住宅のようなものでしょうか。平屋で風呂はなく、1週間に1度くらい、銭湯に行きました。

部屋は8畳と6畳の2間でした。8畳間は子どもの頃から結核を患っていた父の寝床と書斎を兼ねた部屋です。6畳間の真ん中にこたつを置き、夜は4人が2組の布団に分かれて寝ました。

父が時々入院したり、サナトリウムで療養したりしていたので、普通の家とは違うと感じていました。父は戦前に直木賞を取ったものの、その頃は書いても書いても売れませんでした。それでも、不採用の原稿を手に「また戻ってきた」と淡々と言う人で、自分の境遇を嘆くことはありませんでした。

宮城県で過ごした青春時代や文学活動を振り返る小池さん

倹約家の父は歯磨き粉でも何でも無駄にせず、昼は食パン1枚に砂糖を塗っただけの食事をしていました。ある日、げたの底が減らないように、履けなくなった長靴のゴム底をくぎで打ち付けていました。げたは割れてしまい、がっかりしていましたが、今思えば、あれは父の発明だったのではないでしょうか。

父に収入がなかったので、生活は厳しかったです。母が役場に勤め、生活を支えました。臨時の清掃員から正職員に採用されました。家事は主に祖母がやり、小麦粉とみそをフライパンで焼いた「べったら焼き」を食べさせてくれたのを思い出します。

6畳間で寝る時は祖母と私、母と弟が同じ布団に入りました。祖母は寝ながら五七五七七の言葉をつぶやくのです。信心深く読経をし、子どもの頃から親鸞上人がつくった処世訓のようなものをそらんじていたようです。その短歌調のリズムが私の体内に入ってきたのかもしれません。

5歳の小池さん（右）。中央は作家の父大池唯雄さん、左は弟加保児（かおる）さん＝1953年、宮城県船岡町の自宅

＜船岡小に入学後、低学年の頃に父から1冊の本を与えられる＞

新潮社の「支那文学選」という本でした。文学者の父は「佐藤春夫選の本だから、子どものためには良い」と考えたようです。私の記憶にある最初の本だと思います。でも、面白い話ではなく、蛇使いの話など怖い話ばかりで、夢でうなされ跳び起きることがありました。文字は旧仮名で書かれてい

たので、短歌で使う旧仮名には何の抵抗もありません。

文学へのなじみは、物心がついてから始まっていたと思います。うちは父の本だらけなのに、よその家に本がなくて驚いたくらいです。

◇百科事典12巻、5年で読む

＜小池さんは船岡小6年の1学期を終えて転校し、2学期から仙台市の片平丁小に通った＞

片平丁小は母（恭さん）の母校です。教育熱心な母は進学率が高い仙台の五橋中に通わせようとしました。船岡から汽車で1時間弱の通学は友達と一緒で楽しかったです。同席の大人によく声を掛けられ、梨をむいて食べさせてくれる人もいました。

仙台は船岡と言葉が違い、腕時計をしている女子がいて驚きました。クラスに優秀な児童が何人もいました。私は船岡小で児童会長をしていましたが、恥ずかしがり屋で人前に出るのは苦手でした。目立たない2番手になってとても開放感がありました。

結核を患う父（作家の大池唯雄さん）の代わりに生活を支えた母は、お嬢さん育ちで背丈が150センチもない小柄なのに、ものすごい働き者でした。追い詰められると何でもするというか、変わらざるを得ないということだったのでしょう。

母は必死に家計をやりくりし、町役場での勤めから帰宅すると、野菜を植えた庭の畑に真っすぐ向かいました。闇の中で母が振るうくわが土に交じった石に当たり、カチン、カチンと響く音を今も覚えています。

＜五橋中進学後に父から全12巻の百科事典を贈られる。仙台一高時代までの約5年で読み終え、雑学が自然と身に付いた＞

中学時代、庭に弟との部屋を造ってもらいました。百科事典は調べるのではなく、毎日2段ベッドに寝て適当に開き、面白そうなことが書いてあるページを読みました。いろいろなことを知るのは楽しく、その事柄に出合ったとき「読んだことがある」と何かが記憶に残っていました。

好奇心は旺盛で興味があることを次々とやりました。熱中したのは模型飛行機や木工品、ラジオ作りです。ペンキを塗った本箱の模様をイメージしてろうそくの炎ですすを付けたり、ばらで買い集めたコンデンサーなどでラジオを完成させたり。ラジオの音が鳴ったときはうれしかったですね。

高校では新聞部に入り、全国一斉テスト反対の論陣を張り、政治に関心を持ちまし

東北大理学部物理学科に入学し、京都大の湯川記念館を訪れた19歳の小池さん

た。新聞は年4回、福島市の新聞社で刷ってもらっていたので、校正の日は仲間と汽車に乗り、修学旅行気分で訪れました。インクのいい匂いを思い出します。

授業で記憶に残るのは読書感想文の用紙の欄外に国語の先生が感想を書いて激賞してくれたことです。あれで書くことに目覚めたのかもしれません。あまり関心のない授業の時は、ドイツ人作家レマルクの青春恋愛小説など文庫本を読んでいました。

数学を好きになりました。誰が問題を解いても答えは一つだけ。単純で面白い。私は性格も根は単純ですし、勉強すればするほど向上するのが分かります。受験勉強はほとんど数学しかやりませんでした。

数学が得意だから東北大理学部物理学科に進みました。大学に行かないと分からないような、難しい学問をやってみようと思ったからです。湯川秀樹に続いて朝永振一郎がノーベル賞を取り、物理学が脚光を浴びている頃でした。

◇大学4年で短歌と出合う

＜小池さんが東北大理学部物理学科に入学した1966年、キャンパスではベトナム反戦運動が盛んだった＞

毎日がお祭りのようで勉強する雰囲気はなく、学生運動の後ろに付いていくようにデモや集会に参加しました。２年間の教養部では授業にほとんど出席せず、ＡＢＣＤ評価の成績はどの教科も合格ぎりぎりのＣでした。

家庭教師などのアルバイトで稼いだお金でクラシック（音楽）のレコードを買い、仙台の一番町辺りにあった喫茶店に通っていました。憧れの１人暮らしを始め、４年の時まで仙台の２カ所のアパートに住みました。

短歌に関心を持ったのは、友人と読書会を開いていた４年の頃です。吉本隆明の「言語にとって美とはなにか」という本に「短歌的喩」のくだりがあり、数十首の現代短歌が紹介されていました。前衛短歌運動の塚本邦雄や寺山修司、作家の三島由紀夫が激賞した春日井建らの歌でした。

吉本の文章よりも短歌の方が面白く、ぐっときました。五七五七七にはまり込んだ時に、言葉自体が立ち上がるのです。寺山の全歌集を友人から借りて、気に入った歌を書き写しました。春日井の復刻版歌集は古本屋で買い、自分でもむずむずして歌らしいものをつくり始めました。

その頃、父（作家の大池唯雄さん）が急に亡くなりました。文学者の父を前にずっと、おめおめと文学はできないと思っていましたから、「これで自分もやっていいんだ」という気持ちが湧いてきたのだと思います。

高校（仙台一高）時代に、父が自己主張したことを思い出します。短歌愛好者が歌集を出し、父に贈って帰った後、父は「アルバイト（労働）量が全然違う」と珍しく気色ばんで言いました。１ページに２、３首だけの歌集と、自分が書く小説を同じにしてもらっては困るという意味です。

歌集をわざわざ持ってきてくれたのにと、私はちょっと父への反感を覚えました。いつか短歌をやってやろう、と思っていたのかもしれません。

〈71年に東北大理学部を卒業して大学院理学研究科に進む。72年に短歌人会に入会。73年に修士課程を修了し、74年に27歳で和子さんと結婚した。75年に埼玉県の私立浦和実業高の数学・理科教師となる〉

高校の新聞部時代、妻も仙台白百合学園高の新聞部にいて知り合い、同学年でした。結婚当時、妻は化粧品会社で働いていましたが、私は大学院の研究生でアルバイト生活です。宮城県の教員採用試験に落ちて進退窮まっていたところ、境遇を哀れんだ埼玉県の親戚が、浦和実業高を紹介してくれました。

初めは浦和実業高がある浦和市（現さいたま市浦和区）の古いアパートで妻と暮らし、学校に自転車で通いました。部屋に風呂はなく、6畳と4畳半の2間でした。初任給が9万8000円だったのを覚えています。

埼玉は東京に近いので短歌人会の仲間が増え、歌壇に深入りしていきます。もし宮城県の教員採用試験に合格していれば、

浦和実業高で数学・物理の教師として教壇に立つ30代の小池さん

今ごろ短歌をやっていないかもしれません。

◇デビュー作は父への挽歌

＜私立浦和実業高の数学・理科教師となった小池さんは、結社「短歌人会」の仲間と同人誌をつくり、本格的に短歌創作を始める＞

驚いたことに、同人誌を送った（大物歌人の）塚本邦雄さん（故人）から、わざわざ感想のはがきをもらったのです。私の作品が断トツに良いという内容でした。人間は褒められて運命を分ける時があります。今も引き出しの中にしまってある1枚のはがきが、その後の自分の基礎になりました。

何年かして塚本さんから手紙で、会いに来いと連絡があり、東京の赤坂に行きました。緊張して何を聞かれても「はい」とか「そうですか」とかしか答えられず、塚本さんが困った表情をしていたのを覚えています。

当時、私は歌壇のことはほとんど何も知らず、同世代の永田和宏君や河野裕子さん（故人）がシンポジウムでパネリストとして話すのを、聴衆として聞く一人でした。その差は歴然としていました。

＜78年に31歳で刊行した第1歌集「バルサの翼」が現代歌人協会賞を受賞、歌壇へのデビューを果たした。歌集の1首目は父（作家の大池唯雄さん）への挽歌《ばんか》だった＞

第1歌集は時間の流れと逆に構成しました。1首目の＜父の死後十年　夜のわが卓を歩みてよぎる黄金蟲《むし》あり＞については、やはり父の存在が大きく、父につながって文学をやり出したという気持ちがあったのかなと思います。

タイトルは＜バルサの木ゆふべに抱きて帰らむに見知らぬ色の空におびゆる＞から取りました。自分で案を三つ用意して東京の出版社に行くと、担当者はそれを見もしないで「片仮名がいい」と言うのです。30歳過ぎの男が少年時代を回顧した歌でちょっと恥ずかしかったのですが、「バルサの翼」になりました。

出版社から「ぜひ歌集を作らせてください」というはがきが来たのが、刊行のきっかけでした。でも、そうしたはがきが無数に出されていたことが後になって分かりました。出版社に乗せられて作ったようなものです。

就職してからの3年間でやっとためた50万円を歌集出版に使うと聞いた妻はびっくりし、言葉もありませんでした。長女が生まれた次の年ですし、妻は短歌どころではなかったのです。

現代歌人協会賞の受賞は意外で、うれしかったです。受賞を機に歌壇というものがあり、歌人のネットワークがあ

パーティーの席上、交流があった歌人河野裕子さんと並ぶ小池さん＝1994年

ることを知りました。同世代の歌人たちに刺激を受け、しょっちゅう埼玉から東京に出て活動するようになります。永田君や河野さん、大島史洋さん、成瀬有さん（故人）らと交流しました。

東京へ近づくと、仰ぎ見るような人たちにだんだんと近づくようになります。歌会で作品を批評し合い、文句を言われると腹が立ちます。もう行かないぞと思いつつも、また行きます。情熱を持続するには、それが大事なことでした。

短歌は作者のことを知って読むと、作品の意味がよく分かります。ですから、知らない人の短歌に出合うと、深入りするようになるのです。

◇茂吉と出会い作風変わる

＜叙情的作品でデビューした小池さんは40代から作風が変わり、第3歌集「日々の思い出」（1988年）以降、日常描写に知識的な要素を入れた作品を発表した＞

1980年に2人目の子どもが生まれました。「日々の思い出」の作品には、父親として、高校教師としての生活が出ました。観念的な短歌を作ることに飽き、日常生活から材料を見つける自然な短歌に戻ったということでしょう。

当時の短歌は作者の関心の幅が狭く、雑学的な興味や話題に乏しい作品が大部分で、つまらないと感じていました。そこで、知識的な要素を取り入れた方が面白いのではないかと考えたのです。

私は40歳を過ぎて斎藤茂吉の短歌を読み、目を開かされました。こういうものが短歌なんだと。やっぱり茂吉がナンバーワンです。自分の短歌が大きく変わり、38歳から63歳まで編集人を務めた短歌人会の誌上で茂吉の歌論を連載しました。

茂吉は厳粛な悲しみだけでなく、ばかばかしいことも詠んでいます。読んでいるうちに、しばしば声を出して笑ってしまいます。どこか人格もにじみ出ています。短歌は笑えるもの、おかしみがあるものだということを茂吉に教えられました。

＜91年から97年にかけて3冊のエッセー集を刊行した。その頃、第4歌集「草の庭」（95年）で寺山修司短歌賞を受賞する＞

エッセーを書くようになり、内田百閒や吉行淳之介のエッセーを原稿用紙に書き写しました。吉行の文章は惜しげもなくエッセーのタネが盛り込まれた名文です。吉行や茂吉のような名文、名歌を作りたくなりました。良い文章の中から、良い短歌が出てくるのです。

日本エッセイスト・クラブ賞を受賞した「うたの動物記」（２０１１年）は2年間、新聞に１００回連載した作品をまとめました。歌壇と関係のない皆さんから、書いたものだけで選ばれたので、とてもうれしかったです。百科事典を熱心に読み、40年以上温めた青春の雑学が実ったのかもしれません。

住んでいる埼玉県蓮田市の図書館で動物について調べ、その動物が入った詩歌作品を紹介しました。

病気の妻（和子さん）の励みになればと、原稿は出す前に必ず妻に見せ、面白いかどうかを聞きました。夫婦共同の作品です。妻は最終掲載日（10年10月12日）の2日後に亡くなりました。

＜2007年に仙台一高の先輩に当たる故井上ひさしさんの後任として仙台文学館館長になった。就任直後に、年10回の短歌講座を始めた＞

館長になる時、井上さんに初めてお会いしました。すごく人を楽しませる方で、山のように面白い話が出てきました。雑学は私の100倍ぐらいあったでしょう。仙台と縁が切れそうなときに就任の話がきて、つながりがよみがえりました。

文学館は昔の偉い人の物を展示するイメージがありますが、動き続ける場所にしようと短歌講座を開き、生きた文学として実作や鑑賞をしています。看板になるものを探すのではなく、日々の活動が大事です。そのためには、活動の分野が文学から音楽や絵にはみ出してもいいと思いますね。

（聞き手は薄葉茂、2014年8月6日～9月3日掲載）

仙台文学館館長に就任し、前館長の故井上ひさしさん（右）と公開対談を行う小池さん＝2007年

歌人

扇畑　忠雄　さん

「万葉集の歌は、古代日本人の心を純粋に素直に表現している」。アララギ派の歌人、扇畑忠雄さんは語る。詠んだ歌は1万首を超え、選者として目を通した歌は数百万首に上るという。「庶民の生活を歌うのが歌の本道」と説く。歌の研究と創作で貫かれたその人生は、やむことのない「万葉の心」の探究だった。

おうぎはた・ただお　1911年生まれ。京都帝大文学部卒。42年旧制二高教授。戦後、東北大助教授、教授を歴任。東北アララギ会を結成し「群山」創刊。79年度河北文化賞受賞。96年現代短歌大賞。東北大名誉教授。河北歌壇選者、日本現代詩歌文学館（北上市）を務める。著書に「扇畑忠雄著作集」など。2005年7月16日死去。

◇啄木の歌読み文学好きに

＜扇畑さんは、中国・旅順（現大連市旅順区）で生まれ、小学3年の途中まで大陸で過ごした＞

父は孫一、母はミサヲといい、どちらも広島県出身です。父は日露戦争に出征した人でした。旅順の二〇三高地攻略に参加、無事帰還したが、5、6年後、職を求めて再び大陸に渡った。当時の関東庁旅順民政部に入り、農林課長を務めました。果樹園経営の指導をしていたようです。父は毎朝、私

現代短歌大賞を受賞し、今後の抱負を語る扇畑さん＝ 1996 年 10 月、仙台市内の自宅

を馬に乗せて、果樹園に連れて行く。私は馬上から手を伸ばして朝露にぬれたリンゴをもぎ、かじる。それが楽しみでした。

　旅順は白亜の家が多く、異国めいた街だった。小学校の遠足で二〇三高地に行ったことがあります。日露戦争からまだ十数年しかたっていない時代で、周辺は戦場の跡そのもの。砂の中に兵士の骨を見つけたり、軍帽や肩章の破片を見つけて拾ったりした。旅順博物館の薄暗い部屋の中で、ミイラも見た。それが中央アジアを踏査した大谷光瑞探検隊が発掘したミイラだとは、後で知りました。

　これらが旅順時代の、おぼろげながらも記憶に残る、わが心の原風景です。

突然、襲ってきたのが父の死。風邪がもとで肺炎になり、あっという間だった。母と弟と3人で大連港から船に乗り、内地に帰ったのは1920（大正9）年でした。

　父の両親の住む広島県西志和村（現東広島市）の実家に身を寄せ、間もなく妹が生まれました。私は、わら草履で片道4キロの田んぼ道を歩いて小学校に通い、田んぼや小川で遊んだ。家では少年雑誌を見たり、父の蔵書にあったデュマ作、黒岩涙香訳の「巌窟王《がんくつおう》」を引っぱり出して夢中で読んだりしたのを覚えています。

＜中学進学を考えて、一家は広島市に移る。扇畑さんは幟町小６年に転入した＞

借家住まいで、生活資金はわずかな遺族扶助料と、母の裁縫の内職。田畑を切り売りして、３人の子どもを育てた母の苦労は大変だったでしょう。

23年に旧制広島一中（現国泰寺高校）に進学します。当時は全国の旧制中学が厳しい校風を保っていたが、広島一中は特に硬派のスパルタ教育で知られていました。毎朝、服装検査をやる。時計、万年筆は禁止。映画館も飲食店も出入り禁止。路上で先生に会うと、立ち止まって敬礼をしなければならなかった。

中学４年の頃、土井寿夫という先生がいて、本当は英語の先生なのだが、脱線して授業の半分ぐらいは短歌の話ばかりしていた。当時、亡くなって十数年の石川啄木が広島でも人気だった。土井先生や、啄木の歌との出合いをきっかけに、文学が好きになりました。

啄木ばりの歌を作って歌会を始めたり、土井先生や級友と同人誌「路」を発行したりした。校長は東京帝大出身の人でしたが、「文学など軟弱の

旅順二小に入学した扇畑さん（右）。両親と弟と記念撮影＝1917年、中国・旅順

徒のすることだ」と叱られました。

中学では軍事教練があり、年に1回、軍隊兵舎に1週間泊まり込んで訓練を受ける。広島と宮島間を往復するマラソン大会があった。隣の山口県の海岸まで行く遠泳もさせられた。おかげで体は鍛えられました。

規律厳しい団体生活、そして文学との出合い。5年間の旧制中学時代が、私の人間形成の基礎になったのは間違いありません。

◇「学」と「芸」の融合目指す

＜1928年春、旧制広島一中を卒業した扇畑さんは、旧制広島高校文科に進学した。在学中に最初の師となる中村憲吉氏と出会う＞

広島高校は、広島一中とは全くの逆。酒を飲んで暴れたり、店の看板を取り換えていたずらしたり。ストイックな中学時代から解放され、マント姿にげた履きで街頭をかっ歩して、「自由」をおう歌しました。

国語の名物教授に北島葭江《よしえ》という人がいました。蟹《かに》に似ているのであだ名が「カニ」。生徒主事で、乱暴して警察に連行された生徒をもらい下げに行く。署から出てくると、生徒と並んで立ち小便だ。生徒から敬愛された先生でした。

英語の教授で大谷正信という人がいました。正岡子規、夏目漱石の門下で、授業中は雑談もなく、終わると直ちに教科書を閉じて教室を出て行く。子規や漱石の話をゆっくりお聞きしておけばよかったと、今となっては悔やまれます。

文芸部の雑誌に、私は「或《あ》る沖仲仕」の題で40～50枚の小説を書いた。沖仲仕とは港の荷役人のこと。プロレタリア小説が当時の流行だったが、文芸部長の大谷先生に「憲兵に見られるから」と注意されました。

私は、歌をやるならアララギ派と考えた。広島アララギ歌会に入ると、歌会の先輩に「中村憲吉先生に教えを受けたらいい」とアドバイスされました。

中村先生は斎藤茂吉、島木赤彦、土屋文明らと同じアララギ派の歌人で東京帝大を出て新聞記者などをしたが、家業を継ぐために帰郷していた。実家は島根県境に近い広島県布野村にある大きな造り酒屋でした。お茶代わりに酒を飲む。弁舌はうまくなかったが、素朴な人でした。

子規の唱えたのが「写生」だが、中村先生はさらに「生活を詠《うた》え。農村、都市の生活の実際を写せ。物の影を見よ」とおっしゃる。歌会で批評を受けたり、歌論を読むなどして中村先生の指導を受けました。

＜扇畑さんは旧制広島高校を卒業し１９３１年、京都帝大文学部に入学。専攻は国文学だった＞

大学に入ったばかりの４月、大阪市の雲水寺を会場に関西アララギ大会が開かれました。中村先生のほか茂吉、文明らの諸先生も出席された。茂吉先生は、服装は普通だったが、山形弁が抜けず、動作が田舎のおやじみたいな感じ。文明先生は群馬県の出身で、若いけど性格は厳しい人。みんな田舎の出でした。

中村先生は1934年5月、結核で亡くなられた。葬儀に参列する茂吉先生を広島駅で迎え、一緒に中村先生の実家に向かった。山を幾つも越えて、布野村に着いた。葬儀には大勢の村人と、日本中から歌の関係者が集まった。棺《ひつぎ》を担いで山へ行き、柴《しば》を重ねて火葬したのを覚えています。

大学では沢瀉《おもだか》久孝教授に師事した。万葉集研究の第一人者で、「学（研究）と芸（創作）の融合、一致を目標にするように」と言われた。この教えは終生、胸から離れなかった。沢瀉教授は「万葉を、書斎で読むのではなく、外光で読め」と言う。一緒に大和（奈良県）や紀州（和歌山県）など万葉の里を見て歩いた。野山をひたすら歩き、万葉の精神を体感しようと思った。

学生時代、鮮烈に記憶に残っているのが滝川事件です。法学部の滝川幸辰教授の著作が文部省から問題視され、罷免された。これに全学が団結して抵抗。学生は毎日集会を開き、そのたびに警察とぶつかった。私自身、文学部ストライキのリーダーの1人だった。

京都帝大時代の扇畑さん＝1932年2月

自由主義が弾圧され、暗い時代に入ろうとする、その前夜の出来事でした。

◇戦争の歌詠み心の傷直視

＜京都帝大を卒業、広島や京都で旧制中学校などの教師をしていた扇畑さんは1942年、旧制二高（現東北大）教授に迎えられた＞

初めは九州の佐賀高校に行く手はずになっていたが、突然、文部省が「仙台の二高に行ってほしい。新規に国語教授を1人増やす」と言ってきた。「はて、困った」と思案したが、行ったことのない「未知の世界」に憧れた。二高というナンバースクールも魅力でした。

その年の11月、上野駅から夜10時発の列車に乗り、翌朝6時に仙台駅に着いた。京都では輸入米で、甘い物もなかったが、仙台では白米が手に入るし、甘い物もたくさんあった。「食料が豊富にある。仙台はとても良い所だ」というのが第一印象でした。

二高は北六番丁の、後の東北大農学部の場所にあった。万葉集、古事記、平家物語などを講義した。太平洋戦争は始まっており、軍記物が中心でした。

二高には全国からエリートが集まっていた。「若い教官を試してやろう」という生徒の気概もあったのでしょう。反対の説を持ち出しては「先生はこれをどう思いますか」と質問してくる。玉城徹（歌人）、針生一郎（美術評論家）、猿谷要（アメリカ史）といった諸君で、質問してくるにつれて、その生徒と仲良くなった。名校長の誉れ高い阿刀田令造校長に、「君は二高の卒業生のような気がするよ」と言われたのが、たまらなくうれしかった。

戦争中で勤労動員が多く、付き添い教官として生徒と南方町、志波姫町と、宮城県北の農村を歩き、10日も泊まり込んで田植えや稲刈りの手伝いをした。男は戦場に出ており、村に残っているのは女と年寄りばかりだった。食事が良く、週1回おもちの接待があって、生徒たちは大喜びしていました。

塩釜市の造船所、柴田町の火薬工場にも動員され、宮城県ばかりか群馬県渋川市の火薬工場にまで行かされた。仕事を終えると近くの伊香保温泉に入り、風呂から上がると、校歌を歌いながら帰った。ともかく二高生は、よく働いた。

米軍の本土空襲が始まり、戦火はいよいよ激しさを増してきた。当時、私は市内の北山に住んでいた。1945年7月10日の仙台空襲の時は、火を見て学校に駆けつけたが、二高の北六校舎は全部焼けてしまっていた。

<8月6日、広島に原爆が投下された。扇畑さんの弟と妹は戦争前に病死しており、広島に母親1人を残していた>

原爆投下を聞き、「これはやられたな」と思った。しかし、

二高生と分散コンパ。前列中央が扇畑さん＝1949年2月、現在の仙台市太白区長町にあった大衆食堂

1カ月ほどして母から手紙がきました。

10月、仙台駅から列車に乗り、北陸回りで広島に向かった。白米のおにぎりを持って乗ったが、周りの乗客から「射る」ように見られて、慌てて隠した。

広島は市街地を七つの川が流れていて、私は川を巡るようにして歩きました。市街地の建物が全部なくなっていた。実家は焼けて崩れかかっていたが、母は無事でした。近くに比治山という山があり、母は原爆投下の直後、比治山にあった陸軍の防空ごうに潜り込み、３日間出なかったという。これで助かった。

戦争が終わって数年後、母を仙台に呼び寄せた。若くして夫を失い、2人の子に先立たれた母は、たった1人残った長男の私と一緒に住むことを、とても喜んでくれました。

歌は時代の証言でもある。選者をしていて、戦争の歌を数多く読んだ。戦争の傷は今でも残っているし、後に残された遺族、友人の心の傷が残っている。戦争の痛みを直視しなくてはいけないと思います。

◇終戦直後に文芸復興運動

＜終戦翌年の１９４６年、扇畑さんは東北アララギ会を結成、短歌雑誌「群山《むらやま》」を創刊した＞

東京は空襲を受けて、紙がなくなった。印刷会社がやられて、出版もできない。そこで短歌雑誌「アララギ」は、地方誌を出して命脈を保とうとした。土屋文明先生は全国をブロック別に分け、「東北はおまえがやれ」と私を指名してきました。以来、「群山」（月刊）は今日まで続き、（1999年）6月号で626号に達しました。余談ですが、妻の利枝は創刊からの会員です。

本家の「アララギ」は1908（明治41）年の創刊だが、97年に90年の歴史に幕を下ろして廃刊になった。私たちは廃刊に反対しましたが、結局は斎藤茂吉、土屋文明といった大物を継いでいける人がいなかった。一貫して継続しているのは、私たちの「群山」だけです。

仙台は、戦後文芸復興運動の先駆けの役割を担いました。焼け野原を前にして、土居光知（英文学）、桑原武夫（仏文学）、大池唯雄（小説）、永野孫柳（俳句）、石井昌光（詩）といった在仙の文化人たちが、「文芸復興の世直しをやろう」と相談していた。1945年11月、土居さんを会長に東北文芸協会を設立、文芸ジャーナルを発行した。

その頃、桑原さんが発表したのが「第二芸術論」です。「俳句や短歌は前近代的、そんなものは誰でもできる」とやっつけた。伝統文芸に対する痛切な批判で、惨めな敗戦に打ちのめされていた当時の日本人にとって衝撃的でした。

東京にあった国際ペン・クラブの日本支部が空襲で壊滅した。戦後、再出発に名乗りを上げたのが仙台で、ペン・クラブの日本支部として47年11月、仙台センターが結成された。会長は土居さんで、名誉顧問に土井晩翠さん（詩人）が就任した。戦後の民間ユネスコ運動発祥の地も仙台です。いち早く文芸、文化活動の復興に取り組んだ仙台の地は、さながら「ルネサンス」の観を呈していました。

＜旧制二高は東北大に包摂された。扇畑さんは東北大助教授となって、仙台で文芸活動を続ける＞

土居さんや桑原さんは、やがて仙台を去った。残った仲間が私たち９人で、その「９」をもじって「Ｑの会」をつくり、文芸活動を引き継いだ。このメンバーが１９６４年発足した宮城県芸術協会文芸部の中核になりました。そして「仙台に文学館が欲しい」というのが私たちの、長年の夢でした。

仲間と一緒に宮城県知事だった山本壮一郎さんと副知事の石井亨さんに文学館建設を働き掛けました。山本さんは「それはいい」とおっしゃるが、「今は県の新庁舎建設問題がある。新庁舎ができるまで待ってくれ」との返事だった。新庁舎にめどが立つと、今度は「彫刻家の佐藤忠良さん（１９１２～２０１１年、宮城県大和町出身）からたくさんの作品を寄贈された。収蔵施設が先だから」と言う。これが宮城県美術館の佐藤忠良記念館です。また待たされた。

風向きが変わったのは副知事だった石井さんが仙台市長になってからです。市に働き掛けると、石井さんは積極的で「それは、市でやりましょう」と言う。結局、私たちが宮城県と仙台市の仲立ちをする形で実現したのが青葉区北根に１９９９年春に開館した仙台文学館です。

東北大助教授時代の扇畑さん＝ 1953 年 8 月

仙台文学館は全国的に見ても最大級の規模で、内容を見れば、宮城県の近代文学史が一本の水の流れのように理解できる。文学館建設運動は、戦後文芸復興運動の延長線上に位置付けられる。しかし当時の仲間はほとんど亡くなったり仙台を去ったりして、私と橋浦兵一君（宮城教育大名誉教授）ばかりが、生き証人のように残りました。

◇万葉の心軸に新しい歌を

＜1957年、扇畑さんは東北大教授に就任。67〜69年、教養部長を務めた。キャンパス内は、学園紛争の嵐が吹き荒れていた＞

教養部の管理棟や研究棟、講義棟が全部封鎖され、学生はヘルメットをかぶりゲバ棒（角材など棒状の武器）を持って立てこもった。学生と団交を繰り返したが、私が教養部長をしている間、機動隊の導入は認めませんでした。

文部省が全国大学教養部長会議を招集し、「封鎖解除をしっかりやれ」と促す。全大学の教養部長代表が私で、「それでは紛争に火を付けることになる。協議そのものをやめろ」と抵抗した。後で文部省が東北大の事務長に問い合わせ、「あの先生はアカですか」と聞く。事務長は「桃色ぐらいでしょうか」と、笑って答えたそうです。

団交の席で学生から「われわれは大学の自治のために闘っているんだ。扇畑先生も、戦前の京大滝川事件で闘ったじゃないですか」と追及された。「君たちのいう大学自治と滝川事件とは、内容が違う」と答えたものの、内心ひやっとした。よく調べたものです。

学園紛争は、荒らされた後のキャンパスの回復が大変でした。学生は教官を「専門ばか」と言い、「大学解体」を叫んだ。確かに学生からそう言われても、やむを得ない側面はあった。


＜大学の教壇に立ちながら、万葉集の研究を続けた。大伴家持の研究が、扇畑さんの功績の一つだ＞

家持は征東将軍として多賀城に赴任し、延暦4（785）年に、この地で亡くなった。文献などから家持が多賀城で死亡したのを論証した。

奈良の大仏鋳造の最中、今の宮城県涌谷町から金が産出した。「黄金花咲く」と歌って産金を祝ったのは家持だが、陸奥から金が出たという歴史的事実は学界でまだ一般化していなかった。伊東信雄さん（考古学、東北大名誉教授）は発掘調査で、私は文献調査で裏付け、学界に認めさせた。東北地方の万葉関係は、ほとんど手掛けました。

東北大退官後は東北福祉大の教壇にも立った。東北福祉大学長の大久保道舟さんから「校歌を作ってくれ。日本一の作曲家を付けるから」と言われました。それでできたのが扇畑忠雄作詞、古賀政男作曲の東北福祉大校歌です。そのほか、校歌は宮城県内の小中高を中心に、100ぐらい作った。土井晩翠作詞の校歌は多いが、「漢語調で難しいので、作り直してほしい」という要望が結構あった。

今も宮城刑務所で月1回、短歌指導をしています。戦後間もない48年から始めて50年を超す。無形のものをつくる喜びを覚えれば、人間性回復につながります。歌を学ぶ受刑者は「花も小鳥も空も、自然が生き生きして見えてくる」と言う。もともと知恵が回るし、のみ込みも早いです。

大学を辞めてからも多忙な日々を送っています。今年（1999年）2月に米寿を迎えた。よく生きた、やろうと思ったことはある程度できたと思います。しかし、恩師の沢瀉《おもだか》久孝先生（京都帝大教授）が掲げた「万葉集の研究と歌の創作の融合、一致」がどこまでできたかと問われれば、忸怩《じくじ》たるものがあります。

現代は社会が複雑化し、外国の思想も入って、それが歌にも影響している。前衛的な歌もある。素朴で純真な「万葉の心」を軸にしながら、新しい歌の世界を取り入れてみたい。言葉の遊技や観念的な独り善がりは、歌の本道ではない。若い人たちには、心の中で深く受け止めた感動を、素直に歌に表現してほしい。

（聞き手は佐藤昌明、1999年6月10日～7月8日掲載）

教え子らが建てた旧制二高船岡勤労動員記念碑前に立つ扇畑さん。扇畑さんの短歌が刻まれている＝1997年9月、宮城県柴田町

俳人

高野　ムツオ　さん

五七五、わずか17文字から成る言語芸術を追求してきた高野ムツオさんは、２０１４年に第５句集「萬《まん》の翅《はね》」で俳句界最高賞の蛇笏賞に選ばれた。幼少時から自然や日常の機微をひたむきに詠み続け、東日本大震災の被災地から新たな表現の可能性を切り開く。俳壇に確かな足跡を刻む60余年をたどる。

たかの・むつお　１９４７年生まれ。本名睦夫。国学院大文学部（夜間部）卒。71年仙台市立中学講師、73年教諭となり、２００８年沖野中校長で退職。13年「萬の翅」で蛇笏賞のほか読売文学賞、小野市詩歌文学賞も受賞。「小熊座」主宰。現代俳句協会副会長、宮城県俳句協会会長。日本文芸家協会員。01年から河北俳壇選者。多賀城市在住。

◇小学時代から寺の句会へ

＜高野さんは宮城県岩ケ崎町（現栗原市）で生まれ育った。４人きょうだいの一番上で、両親、祖母と暮らした＞

父が一人っ子で、私が生まれるまで家にはしばらく子どもがいなかったためか、親にも祖母にも甘やかされて育ちました。

「内弁慶な子どもでした」と振り返る高野さん

父は町役場の職員。家から歩いて10分ほどの所に館山寺という寺があり、物心がつくころから遊びに行っていました。寺の住職葦名悳盛《とくじょう》和尚は町の文化人で、地元の若者を集めて青年団的な活動をしていました。いわば田舎の社交場ですが、そこで句会もあったんです。親に連れられた子は私だけで、集まったおじさん、おばさんたちにかわいがられました。

俳句を作り始めたのは小学2、3年生頃でしょうか。田んぼ道を一緒に歩きながら、父が手ほどきしてくれたんだと思います。

小4のある時、寺に河北俳壇選者の阿部みどり女先生が仙台から指導に来ました。20人ぐらいいた大人に交じって私も投句したら、みどり女先生の選に入ったんです。〈夏の雨うるさく響く夜の寺〉。俳句で初めて褒められ、照れくさく思ったのを覚えています。

中学生になると、1人でも句会に行くようになりました。そこでは医者、時計屋、石屋といろんな年齢、職業の人がいて和気あいあいと句を作っている。父の友人の松本丁雨という俳人は農家でペンキ屋さんでした。丁雨さんにはこの後も長い間、多くのことを教わり、励ましてもらいました。

河北俳壇にも投句し、何度か紙面に掲載されました。うれしかったですね。

＜高校は電車で片道2時間かけて古川工高へ通った＞

できれば仙台の普通科に通いたかった。でも家は貧しかったし、成績も足りない。館山寺に岩ケ崎高の若い先生が下宿していて相談に行くと、「今の世の中は学歴じゃない。手に職付けて実力でのし上がるべきだ」と言われました。数年後に東京五輪を控えた時代。「なるほど」と納得し、古川工高に進みました。

高校では文芸部に入り、機関誌「雲」に「現代俳句小論」といった論説や俳句、詩などを書きました。顧問の菊池謙先生は後に短歌結社を主宰する人で、私の俳句を評価してくれました。

高校時代は、仙台の米ケ袋にあったみどり女先生のお宅に何度かお邪魔したことがあります。先生主宰の「駒草」にも毎月投句しました。みどり女先生は高浜虚子に学んだ自然諷詠《ふうえい》の代表的俳人。「心を真っ白にして物を見なさい。そうすれば物の方から声を掛けてくれますよ」と言われたのが今も心に残っています。

俳句を作っていることは、ごく親しい友人以外に

父が参加する句会をのぞくうち、自分でも作句するようになった。後方に立つ少年が高野さん＝1958年ごろ

は言えませんでした。「じいさんくさい」と思われそうで嫌だったんですね。でも周囲で認めてくれる人たちがいて、隠れるようにして作句を続けていました。

◇兜太と出会い前衛俳句へ

＜古川工高の卒業間際、高野さんは文系で学び直すことを決意し、神奈川県庁に入る＞

当時神奈川県は人材確保のために、高卒者が夜間大学に通えることをＰＲしていたんです。配属が土木事務所だったので本来は技術系を選ぶべきでしょうが、１年後に国学院大文学部の夜間部に入学しました。

仕事を午後4時ごろ上がらせてもらい、２時間近くかけて東京・渋谷の校舎に通います。神奈川県平塚市の自宅に帰るのは午後11時半すぎ。きつかったけど、好きなことを学べる充実感があった。周りには文学を語る仲間が大勢いました。

70年安保の頃、関心はありましたが、運動に本格的には参加しませんでした。夜間部には俳句のサークルがなかったので、新しく作りました。読書はもちろん、映画や演劇も熱心に見ました。寺山修司の天井桟敷や唐十郎の紅テント。学内で友人らとオリジナルの芝居を作り、端役で出たこともあります。

＜20歳の時に俳人金子兜太《とうた》さんと出会い、句作りの転換点を迎える＞

以前から作品は知っていましたが、著書を買って読んで感動しました。兜太は従来の自然諷詠の伝統を否定する前衛俳句の旗頭でした。現代社会をうたう新たな挑戦に引かれ、同人誌「海程」に入会しました。

幼い頃からお世話になった阿部みどり女先生の「駒草」には投句しなくなりました。恩師に無断で飛び出したわけです。でもみどり女は「海程」を読んでいて巻頭に私の句が載れば喜んでいたそうです。ずっと気にかけてもらえたのが申し訳なくてうれしかった。

兜太とみどり女は俳句の立場は全く違います。ところが私が２人から教わったのは結局同じ。物をよく見ることと物の力を信じること。基本だと強調していたことは一緒だったのです。

兜太は本当にユニークな人ですよ。梅雨に埼玉の熊谷にある自宅に遊びに行ったら、うわさ通り白いふんどし一丁だった。広い庭はほとんど手入れされていない雑木林。俳句だけでなく人間的にもバイタリティーにあふれ、それは96歳の今も変わりません（２０１８年、98歳で死去）。

兜太も評価してくれた当時の句です。＜泥酔われら山脈に似

学生仲間と創作した演劇の１場面。右端が高野さん＝1970年、東京

る山脈となれず＞。自分の作品をやっと作れたと思いました。

＜高野さんは俳号を本名の睦夫からムツオに変えた＞

親には悪いけれど、自分の名前は音も漢字も嫌いでした。別の漢字を当てようにもいいのが見つからない。帰省中に父に相談したら「片仮名という手もあるぞ」と。父の窮余の策でしたが、今となれば目立ってよかったかもしれません。

大学4年に進級する時、学業に専念するため退職しました。「何とかなる」と楽天的でした。学費は親が出してくれましたが、生活費はアルバイトで稼ぎました。

学生時代は詩も短歌も書きました。でも自由詩の表現がつらくなってきた。長く書いてもどんどん短くなる。短歌でも長い。俳句は短い中に言いたいことをぎゅっと凝縮させる。自分の体質に一番向いていると思いました。卒業する時、俳句一本でやっていこうと覚悟を決めました。

◇生涯の師・鬼房と親交結ぶ

＜俳句の志を抱きつつ、高野さんは1971年の大学卒業後は古里の宮城に戻り、仙台市の中学教員となる＞

学んだ文学を生かそうと国語の教科を選びました。最初の2年間は講師で、その2年目から学級担任と部活動を受け持ちました。

生徒に分かるように授業を工夫するのは楽しかったですね。スポーツは苦手でしたが、中学時代に少しだけやったバスケット部の顧問補助に。手探りで一生懸命指導するうち、魅力に取りつかれました。３年目から正式に教諭となり、以来約20年間、異動先でもバスケ部の顧問を続けました。

この頃、金子兜太先生の同人誌「海程」の新人賞準賞に選ばれました。ですが選考委員が「もっと継続的に投句を」とコメントした通り、土日もなく仕事が忙しくて、俳句はどんどんおろそかになりました。

アパートの隣室に住む仲のいい同僚に仕事との両立の悩みを打ち明けると、彼は「顧問はお前でなくてもできる。でも俳句はお前がやんねば駄目だっちゃ」と言う。そこでハッと目が覚めました。忙しいなりにも「今真剣にやらなければ」と心を決めたのです。

俳句への情熱を取り戻し、宮城県内での交流も増えました。81年には仲間と「海程」の仙台句会を立ち上げました。

31歳で職場結婚。その後、長女も生まれ、新居を多賀城市に構えました。砂押川が流れ、カッコウも飛んでいる。自然がいっぱい残っていて気に入りました。

＜生涯の師となる佐藤鬼房さんとの親交が始まった＞

鬼房先生は、郷土の優れた俳人として以前から尊敬していました。「海程」の同人でしたし、兜太同様、戦争体験があって戦後社会にマッチした俳句を詠み、「みちのくに鬼房あり」と全国に知られていました。

鬼房が第４句集「地楡《ちゆ》」を出した際、「海程」に評を書いたら本人から礼状が届き、「塩釜市の自宅に遊びに来るように」とありました。うれしかったけれど、気難しい人との周囲のうわさに尻込みして結局行かずじまい。その後、年賀状に「冬には来るかと待っていた」と書かれ、ひどく恐縮しました。

78年ごろ、初めて自宅に訪ねた鬼房は評判に反して気さくで、とても話し好きでした。２人で俳句の話で夜を徹して盛り上がり、私が家を辞したのは午前4時ごろ。自作の句を筆で書いた短冊をいただき、丁寧に道案内もしてもらいました。以来、年に数回遊びに行くようになりました。

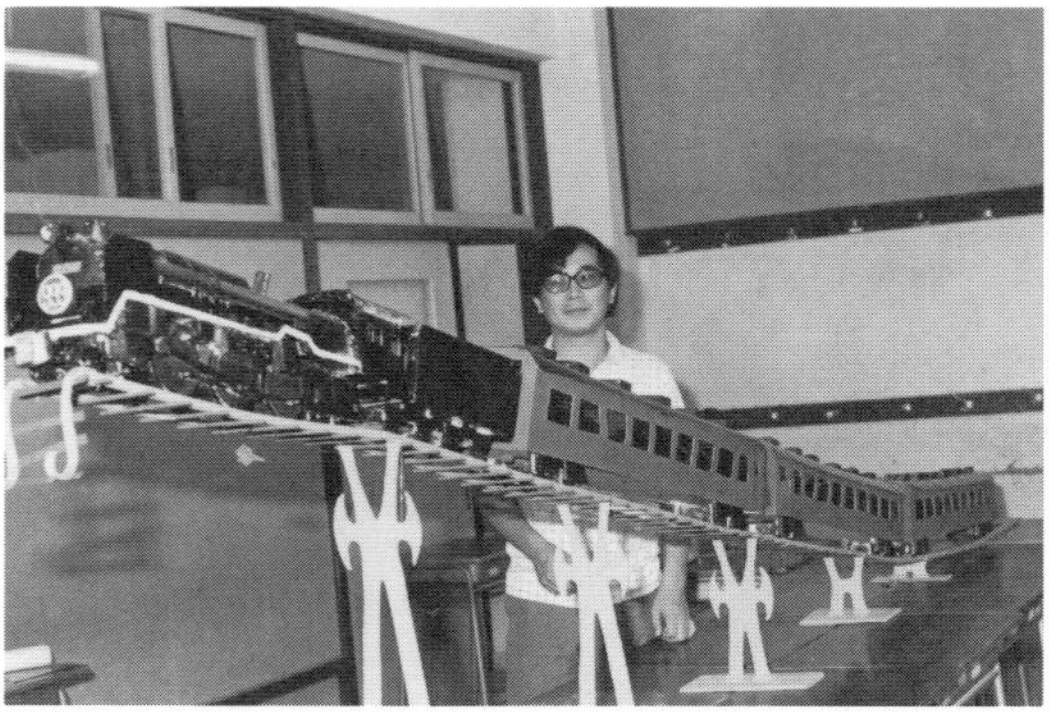

教え子が作った銀河鉄道999の模型と写る高野さん＝1977年ごろ

ある時「先生はご自分の俳誌を創らないのですか」と聞くと「もう年だからね」との返事。それからしばらくたった85年5月、当時66歳だった鬼房主宰の「小熊座」が創刊され、突然家に届いて驚きました。

ただ私には「投句を待て」と言うのです。「あんたのような前衛の難しい句が載ると他の人が出せなくなるから」だそうです。

小熊座に私が文章を書いたのは約1年後、「俳句探訪」という評論の連載でした。将来、編集を引き継ぐことになるとはそのときは思いもしませんでした。

◇初の句集、目指す方向示す

＜高野さんは忙しい教員生活を送りながらも、佐藤鬼房さんが１９８５年に創刊した俳誌「小熊座」を拠点に俳句作りにますます力を入れる＞

締め切りに遅れた連載の原稿を塩釜市の鬼房先生の自宅に届けた時のことです。奥さまに「入院している」と言われ、驚いて病院を訪ねたら、夜の病室のベッドの上で熱心に原稿のチェックをしている。こちらをジロッと見て、一言だけ「もう来ないのかと思った」。日頃、教壇で威張っている身なのに、これは本当に怖かったですね。

自分が大病して大変な時でも、人のために仕事を続ける姿に心打たれました。以来「小熊座」の校正を手伝うようになりました。月に1、２回、自宅に行って原稿を受け渡しするのですが、その際に用字用語の話をしたり、自分の句稿を見てもらったりと、ずいぶん勉強になりました。

40歳になる87年、第1句集「陽炎《かげろう》の家」を刊行しました。学生時代から師事する金子兜太先生が「そろそろ出す時機だ。序文は俺が書く」と後押しし、鬼房は「帯文に使ったらいい」と短い文章を寄せてくれました。初めての句集なのに第一人者の２人の名前が出ていて、人には「ぜいたくだ」と言われたものです。

題名は私の句〈陽炎の中わあわあとわれの家〉から取りました。30代の充実と不安に揺れる自分の姿を詠み、愛着があった句です。

句集を出すこととは単に作品をまとめるだけではなく、自身の俳句に評価を下し、自分の姿はこれだと判断すること。これからの自分がどんな俳句を目指すのかが問われる作業で、一編の長編詩を作ることだと改めて気付かされました。


〈高野さんは権威ある現代俳句協会賞を94年に受賞。全国区の評価を得る〉

俳壇で無名の存在が初めて認められてうれしかったです。「小熊座」は5、7、10周年と節目ごとの記念大会を開きました。結社誌はこのくらいの時期が一番勢いがあるものです。鬼房が一つの地域で凝り固まるのをよしとしなかったので、各地の著名な俳人を招いてシンポジウムや講演会を企画しました。三橋敏雄、阿部完市、宇多喜代子、正木ゆう子の各氏ら。交流がどんどん広がりました。

95年からは鬼房に代わり「小熊座」の編集長になりました。

鬼房さん（左から２人目）の自宅前で、俳句仲間と並ぶ高野さん（左端）＝1997年、塩釜市

河北俳壇の選者は２００１年からです。

仕事と俳句の二足のわらじは大変でしたが充実していました。かつて働きながら夜間大学に通ったように、二股をかけた人生はあまり苦にならないようです。

＜師と仰ぐ鬼房さんが82歳で世を去る。２００２年の冬だった＞

「『小熊座』を引き継いでほしい」と言われたのは亡くなるほんの数カ月前です。いつも「悪いねえ。仕事させてねえ」と、教職や家族を抱えながら編集に携わる私を気遣っていた。何より俳句を作る時間が削られることを心配してくれていました。

毎日毎日生命ある限り、必死に取り組むところでいい俳句は生まれる。間近で見つめた生きざまから、俳句の在り方を学びました。私もちょうどこの頃に病を患い、より大きな影響を受けたのです。

◇定型のエネルギー生かす

＜高野さんは働き盛りの50代で、相次ぐ病魔に見舞われる＞

２００１年に初期食道がん、07年に下咽頭がんと診断されました。のどの手術では声帯を失う覚悟もしました。定年前の最後の年。勤務先の中学校で校長として式辞を述べられるのか。声が出なくなったら年度途中でも辞めるつもりでした。

俳誌「小熊座」を創刊した佐藤鬼房先生が病と闘いながら句を詠み続けたのを間近で見ていますから、私も病床で今表現しなければと考えていました。〈細胞がまず生きんとす緑の夜〉〈喉《のど》切られゆくなり飛燕《ひえん》思いつつ〉。句を作ることが生きる力になりました。

手術は大成功でした。先進の再建医療のおかげで声も命も残りました。このガラガラ声はその名残です。職場にも復帰できました。俳人仲間の小沢実は〈みぞるゝやムツオは陸奥の神の声〉という句を作り励ましてくれました。今まで再発・転移がなく、主治医は「治ったと言っていい」と話します。悪運も強いですが、周りに感謝するばかりです。

〈幼少時に阿部みどり女に見いだされて始まった句歴は、時代を象徴する個性的な師との出会いで磨かれ、さらなる高みを目指す〉

戦後の社会性俳句の旗手である鬼房は、今生きているのがどんな場所で、自分は一体何者なのかを言葉でつかまえることが俳句だと言いました。みちのくに生まれ、蝦夷《えみし》の末裔《まつえい》として中央に対する反逆心、ハングリー精神がある。弱者の視点で考え、思い、感じることで自分なりの言葉が表現されてくると言う。鬼房の住む宮城に20代で帰郷し、俳句を模索していた私は「これだ」と思いました。

学生時代にひかれた前衛俳句の金子兜太先生は当時バリバリの40代、俳壇の暴れん坊的存在でした。生の思いを五七五でわしづかみするのだという言い方をしていましたね。埼玉・秩父生まれで現在は熊谷市在住ですが、原郷を念頭に風土性も深めていきました。そして現代に生きる人間の有り体《てい》、その存在自体をうたうのだと言います。

作風は違えども兜太と鬼房には共通性があり、互いに認め合っていました。私は二人に学んだことを踏まえ、自分だけの俳句を作ろうと考えたのです。

自分自身の原初感覚を表現する。そのために俳句の定型が持つエネルギー、ダイナミズムを生かすことをモットーにしてきました。

言葉は短ければ短いほどエネルギーがこもる。例えば松尾芭蕉の〈夏草や兵どもが夢の跡〉。「夏草」は今、目の前に生きているもの。「兵どもが──」は数百年前の戦争の悲劇が起きた場所。たった17音の中に時空を超えた二つの事柄がぶつかり合っている。いい俳句は必ずそういう組み合わせになっています。文章にすればものすごく長くなることも、逆に五七五だと可能になるんです。こうした世界が定型によるエネルギー、ダイナミズムです。

〈幾多の苦難を経ながら第5句集「萬《まん》の翅《はね》」刊行の準備が進んでいた〉

鬼房の死と自分の闘病を中心にまとめるつもりでいましたが、それどころではなくなりました。11年3月11日、東日本大震災が

金子兜太さん（右）が主宰する俳誌のイベントに招かれた高野さん＝2012年、埼玉県長瀞町

起きたためです。

◇「陵辱された」季語深める

＜高野さんはＪＲ仙台駅の地下で東日本大震災に遭遇した。２０１１年3月11日。停電の闇の中、多賀城市の自宅まで約13キロを歩き通した＞

ずっと俳句を考えていました。そうでもしないと不安でしょうがなかったのです。大きな余震が続き、暗がりに横転した車が何台も見えました。家と家族は無事でしたが、周囲の津波被害は深刻でした。

＜四肢へ地震《ない》ただ轟轟《ごうごう》と轟轟と＞＜膨れ這《は》い捲《めく》れ攫《さら》えり大津波＞。圧倒的な現実を前に、季語が入る余地はありませんでした。＜泥かぶるたびに角組み光る蘆《あし》＞。「角組む蘆」が蘆の芽を指す春の季語です。津波がさかのぼった砂押川の風景に再起の希望を見いだした句には、大きな反響がありました。

＜未曽有の大災害は俳句の土台をも揺るがした＞

12年10月、私もパネリストで参加したあるシンポジウムで、歌人の佐藤通雅さん（仙台市、河北歌壇選者）が「季語は陵辱された」と発言しました。ショックでした。確かに、例えば秋の季語「新米」

は、東京電力福島第１原発事故後、実りの喜びだけでなく放射能の不安も感じさせる言葉となりました。松尾芭蕉は想像し得なかった事態です。

私は無季の句も詠みましたが、季語を否定すれば俳句そのものが成り立たなくなってしまう。むしろ「陵辱」された世界をうたうことで、これからの季語の世界を深め、広げることが俳人の使命だろうと思うようになりました。

従来、俳句の主流は自然の恵みや美しさを追求し、季語に託した宇宙観を表現すること。花鳥諷詠《かちょうふうえい》を提唱した高浜虚子はかつて「俳句は戦争の影響を受けなかった」と言い、関東大震災（１９２３年）も句材にはしませんでした。でも東日本大震災では流派や主義主張関係なく、多くの俳人が震災を詠んだ。もちろん名も無き市井の人々もです。

私が選者を務める河北俳壇は２カ月後の５月に再開されました。時間がたつにつれどんどん寄せられる俳句に感動しました。一つ一つにかけがえのない物語、「生」がこもっていました。言葉が生きる支え、力になっていたんです。

私の原点は生まれ育った宮城県岩ケ崎町（現栗原市）の寺で

被災地の海岸に立つ高野さん＝ 2014 年 10 月、仙台市宮城野区蒲生

の句会です。そこでは大人たちが立場に関係なく集まってはささやかな句作りに励んでいた。俳句はもともと庶民の文学なんです。このことをあらためて実感させられました。

いた〉

〈第5句集「萬《まん》の翅《はね》」を、震災後の作品を加えて13年に発表。翌年、俳壇最高賞である蛇笏賞に輝

悲しみから必死に立ち上がろうとしている、そんな人たちの力をもらってできた句集だと思っています。選考委員の金子兜太先生は「それまでの稚拙ながら懸命な営みが、この大災害に立ち向かえる地力をつけてくれていた」と評しました。学生時代の句会では手厳しく批評されたものですが、人間味あふれるこの言葉に心を打たれました。

今、全国から東北が注目されているのを感じます。震災を経て俳句は変わったのか。私たちはどう表現し、どう後世に届けるのか。わずか五七五ですが、器は限りなく大きい。今後も作り続けつつ、俳句の持つ力を伝えていくつもりです。

（聞き手は阿曽恵、2016年6月1日〜7月6日掲載）

俳人

佐藤　鬼房　さん

＜夜泣き子にもらひ泣きして雪の精＞鬼房。閉じられた空間は寒々しいが、窓の外にほんのりした雪明かりがある。塩釜市の俳人佐藤鬼房さんの作品が人を引きつけるのは、変わることのないそのみずみずしい感性にある。貧しかった少年時代。軍隊生活を経て、戦後は社会派の現代俳句の旗手として脚光を浴びた。句の底流には、貧しかったが故の人を見つめる目の「優しさ」がある。

さとう・おにふさ　本名佐藤喜太郎。１９１９年生まれ。宮城県塩釜町立商業補習学校卒。40年陸軍第19師団の輜重《しちょう》隊に入営、朝鮮半島、中国大陸などを転戦。46年復員、西東三鬼に師事。「雷光」、「天狼」の同人となる。54年現代俳句協会賞受賞。85年「小熊座」を創刊、主宰。89年度河北文化賞、93年蛇笏賞受賞。２００２年１月19日死去。

◇貧乏のどん底、苦労した母

＜鬼房さんの父は善太郎さん、母はトキエさんといい、２人とも釜石市の鉱山で働いていた。鬼房さんは４人兄弟の長男だ＞

生まれたのは１９１９（大正８）年の３月20日。「その日はお彼岸で、ぼたん雪が降っていた」と

幼い頃の思い出を語る鬼房さん＝塩釜市赤坂の自宅

母に聞かされました。釜石の港の近くに住んでいて、橋上市場も近かった。それも後から母に聞かされた話です。2歳の時、釜石から宮城県の塩釜に引っ越したので、釜石の記憶はありません。

父は岩手県北の岩泉町生まれで、馬車屋をしていた。馬車に農産物を積んで内陸部の葛巻町方面へ運んでいたようです。しかし祖父に後妻があり、父はその人とうまくいかなかった。とうとう家を飛び出し、釜石の鉱山で働いた。

母は内陸部の胆沢町の生まれです。親が、人のいい人たちで他人の借金のかたに田畑を取られ、仕方なく長男だけを胆沢に残して一家で釜石に出た。母も鉱山で働き、雑役のような仕事をしていた。そこで父と母は一緒になった。

世は大正デモクラシーの時代、釜石の鉱山でもストライキが起きました。父も若かったから、旗を振り振りストライキに参加した。そのあおりを食って、「もう、こんなところにはいられない。塩釜なら食うだけは食えるだろう」と出てきたのです。でも私が小学校に入る前に父は病死しました。体は貧弱なのに、酒ばかり飲んでいた。アルコール依存症だったんでしょう。

母は父とは逆で、感覚が鋭く馬力があり、生活適応力旺盛な女性でした。当時、塩釜では港の埋め立て工事が行われていた。母はその工事現場で働いたり、市場で魚売りをしたりした。一日2人分、働きづめの母でした。

兄弟は男ばかりの4人ですが、3番目は早く死にました。父や母の親が、3人の子どもを引き取ろうと言ってきた。でも母は決して子どもを手放そうとはしませんでした。

＜1925年、塩釜町尋常小学校（現塩釜一小）に入学した。家は相変わらず、貧乏のどん底だった＞

一家4人で、塩釜神社に近い山手に小さな家を借りて住みました。当時は田んぼと原っぱ、雑木林の続く風景だった。田舎だったので町場の子どもたちとは合わず、一緒に遊ぶようなことはなかった。小学校に入ってからは町場の子とも付き合うようになりました。

小学校の高学年の頃、長野県で教員赤化事件（1933年、伊那地方を中心に多くの教員が教室で「赤化思想」を吹き込んだとして逮捕された）が起きた。共産主義者でなくても、民主主義的な言動をするだけで検挙された。事件の余波が宮城県にも及んで、そういう先生が塩釜の小学校にも1人や2人はいました。

渡辺という先生がいて、課外授業で小林多喜二の「蟹工船」や細井和喜蔵の「女工哀史」などの解説をする。子どもだから感じやすく、小説の話を自分の境遇に当てはめて考えた。

わが家は貧しかった。母が魚売りをしていたので食べる物はいっぱいあったけれど、着物はかぎ裂き、つぎはぎだらけ。本を買ってもらった記憶もない。

小学校を卒業すればその後、2年間の高等科がある。貧乏なのに、母は私を高等科に進ませてくれた。「どこかから金をもらったんだろう」と、陰で言われたそうです。女手一つで3人の男の子を育てた母の苦労は大変だったでしょう。

◇新興俳句にひかれて上京

〈1933年、小学校を卒業した鬼房さんは、塩釜町製氷共同組合（当時）に就職した〉

魚の町塩釜では、製氷部門だけは組合をつくって共同経営していた。仕事はお茶くみ、給仕です。給料は月10円で、8円を母にやり、残り2円が私の小遣いでした。

昼間は仕事をして、夜は町立の商業補習学校に通った。夜間の2年制で、午後7時から9時まで簿記や英語や国語をみっちり習った。好きなのは国語だけ、そろばんや帳簿付けは苦手だった。この学校は後に青年学校に吸収され、敗戦でなくなりました。

社会に出て初めて小遣いを手にした私は、古本屋を回って補習学校の参考書や好きな文学書を買った。改造社の現代日本文学全集が1冊20～30銭で買えた。荒木巍《たかし》という新感覚派の作家がいて、夢中になって読みました。この人の作品は難解で、そこが好きだった。後に私は「巍《ぎ》太郎」というペンネームで詩を書いた時期があります。志賀直哉や石川啄木も好きでした。

組合の向かいに魚の箱を作って売る店があって、そこに三姉妹がいた。長女は仙台の尚絅女学院に通っていて、ほのかな思いを抱いた私は「文学全集を貸してあげるから」などと言って、中にラブレターを挟んで渡した。両親も気さくな人で、付き合っていました。ところが、交際が組合の部長の娘に知られ、その娘が父親に告げ口したのか「若いくせに、まだ早い」と叱られた。ショックで私は組合を３日間休みました。

今のＪＲ仙石線西塩釜駅近くに芝居や映画を上演する塩釜劇場というのがあった。そこを会場に社会大衆党の指導者、安部磯雄が演説に来るというので聴きに行った。私は「20歳です」と偽って入った。聴衆は50～60人ぐらい。会場に立ち会いの警察官がいるのにはびっくりしました。警察官が「オッ」と言うと、安部磯雄は急に話の内容を変えるのです。私は実際の政治活動はしなかったが、政治に興味はあった。多感な時代でした。

＜商業補習学校を卒業した鬼房さんは１９３５年、新興俳句の雑誌「句と評論」を知り、投句を始める。翌年、俳句雑誌「東南風《いなさ》」の同人となる＞

組合の理事で俳句をやっている人がいて、俳句雑誌を横目で見たり、聞いたりしていましたが、新興俳句「句と評論」との出合いが大きかった。載っている句がどれもシャープで感覚が新しい。少年の心を打った。

向学心はある。余裕も出てきた。東京に出て俳句をやりたい。その一心で上京したのが１９３７（昭和12）年、18歳の夏でした。

「東南風」の同人を頼って東京に出た。その人は上野近くの入谷で飲食店を経営しており、住み込みで店を手伝いながら雑誌に投句したり、句会に出たりした。ところが2～3カ月後、その経営者は「後で迎えに来るから」という言葉を残して雲隠れしてしまいました。

どうしようもない。小石川植物園前の知り合いの下宿に転がり込んだり、神田周辺を転々としたり。そこで日本電気（当時）の臨時工に雇われた。仕事は機関銃の弾磨き。ところがある日、会社の書類を、運ぶ途中にうっかりなくしてしまいました。会社に黙ってそのまま塩釜に逃げ帰った。

東京にいたのは1年余り。上京したからといったって、何も力があるわけじゃない。夢破れ、塩釜に戻って缶詰の冷凍工場で働いた。実家が狭いので工場に移り、住み込んだ。番人みたいなもの。のんきなもので、この方が良かった。

東京で日本電気の臨時工をしていたころの鬼房さん＝ 1938 年

◇応召し各地を転戦、捕虜に

＜東京から帰郷して間もない1939年7月、鬼房さんは徴兵検査を受けた。第一乙種合格で、第

一九師団の輜重《しちょう》隊に配属された＼／

北九州の門司に集結し、玄界灘を渡った。第一九師団の司令部は、現在の北朝鮮の羅南（現清津市）にあり、輜重隊は近くの鏡城という町に置かれていた。そこで半年間、訓練を受けました。輜重隊とは輸送を業務にする部隊で、実際には自動車の運転を練習させられた。私は方向音痴、「おまえは蛇行運転の神さまだ」と、上官に言われた。練習の時、上官は怖がって助手席に乗らないのです。

鏡城はとてもきれいな所だった。営舎前に河原が広がり、背景に山がある。春になると一斉に白いスズランの花が咲いた。私は現地で日本人が威張り散らしているのが一番嫌で、訓練のない時は外出せず、山の上でひっくり返って寝ていました。中国国境近くで、山の向こうの白頭山で後の金日成主席が遊撃戦で活躍していた時代でした。

＼訓練期間を終えた鬼房さんは、中国大陸の戦線に送り込まれた／

初め南京に1〜2カ月いた。それから漢口（現武漢市）に回った。揚子江をさかのぼって船で運ばれた物資を陸揚げし、内陸部の戦線に輸送する。食料、衣料、武器、日本からの手紙もあった。当時は上海で起きた事件を聞いた程度で、治安は良かった。後の毛沢東主席の指揮下にある八路軍が通った痕跡を見てびっくりするぐらいでしたから。

しかし、あの辺りは水田と湖沼が多い所で、雨が降れば、泥んこになって、一晩で1キロも進めない時もあった。輸送の仕事は実際、大変だった。

南京にいた時のことです。鈴木六林男《むりお》という人が突然訪ねてきました。鈴木さんは大阪生まれで、旧制山口高商の出身。俳句雑誌「東南風《いなさ》」を通じて、お互いに名前を知っていた。「鈴木大尉という人が来ているんだが」と連絡がきた。会ってみたら、彼は一等兵でした。一緒に来た軍曹は麻薬中毒患者でしたが。

俳句やら何やらの話をして、感激でした。戦地では、詩をやると上官ににらまれるもんだが、俳句は案外にらまれなかった。

＜中国から台湾に渡り、さらにインドネシアへと転戦する＞

台湾の高雄に行き、インドネシア上陸作戦に組み入れられた。しかし、私の連隊で腸チフスの患者が出て、高雄の駅前広場に3カ月はテント暮らし。上陸作戦が終わってからジャワ島に渡った。ジャワ島ではビルマ（現ミャンマー）戦線に兵員を送る仕事をした。ビルマでは多くの兵士が戦死した。もし私がビルマに行かされたら、（竹山道雄の）「ビ

中国・南京で、下級指揮官になるための短期訓練を受ける。後列右端が鬼房さん＝ 1941 年

ルマの竪琴《たてごと》」のように坊さんになっていたかもしれませんね。

１９４５年8月15日、上官から「日本は降伏した」と知らされた。終戦時はインドネシア東部のスンバワ島にいた。武器も食料も何もない。オーストラリアからの情報も事前に耳にしていたので、日本が負けるのは分かっていた。

武器をオランダ軍に渡して捕虜生活、しばらく島でバラックを建てて過ごした。戦友はマラリアにかかり、次々死んでいく。私も肺を患って野戦病院に収容された。

＜生きて食う一粒の飯美しき＞。そのころ作った句です。

捕虜生活から解放されたのは翌年の5月。船に乗って日本に帰った。名古屋港に着くと、周辺の麦畑が刈り入れ時を迎えて黄色く輝いていたのが印象的でした。

◇35歳で「現代俳句協会賞」

＜戦地から引き揚げて復員したのが１９４６年5月。名古屋、静岡、仙台を経由して、塩釜の実家に帰った＞
家には戻ったが、仕事がない。あるのは軍隊時代に取った車の免許だけです。仙台の苦竹に駐留していた米軍キャンプで運転手を募集していて、そこで臨時雇いになった。運転は苦手だったが、基本的なことは軍で鍛えられたので習得している。それに当時は車もそんなには走っていなかった。クレーンや削岩機の操作もしました。

とはいえ外国人と一緒に仕事をするのは、私には向いていなかった。その頃、塩釜の経済人7人が出資して製氷会社をつくったので、そこに勤めました。仕事は機械の管理。機械を見ながら、あるいは夜勤明けに自宅に帰って句を作った。なるべく人付き合いをしないで俳句をやりたかった。だが、その製氷会社は素人のにわかづくりの会社で、営業不振が重なって後に倒産してしまいます。

戦争から戻っても、俳句をやりたいという気持ちは変わらなかった。母に「俳句をやりたいから、40歳までは結婚しない」などと言っていた。母は「また東京に行かれたら困る」と思ったのでしょう、お気に入りの豆腐屋さんの娘に会わされた。母が相手の親に「そちらの娘さんを頂きたい」と強引に連れてきたのです。その娘が妻のふじゑです。

＜鬼房さんは復員して間もなく大阪の俳句雑誌「青天」の同人となり、創作活動を本格化させる＞

「青天」を発行していたのは鈴木六林男《むりお》さんで、中国の南京にいた時、私を訪ねてきた人です。日本に帰り、大阪の鈴木さんに様子をうかがい、行く所もないのでそのまま入会をお願いした。「青天」のアドバイスをしていたのが西東三鬼《さいとうさんき》さんでした。西東さんは岡山県の出身で、本職は医者だが、俳句にのめり込んだ人。戦前は、新興俳句で当局から弾圧された人物で、大物でした。

その西東さんが山口誓子さんを担ぎ出して創刊したのが「天狼《てんろう》」です。米軍からの紙の割り当てがないので、「青天」を身売りする形で、紙の配給をそちらに回して「天狼」創刊にこぎ着けたのです。

さらには、「天狼」の前衛的な7人の同人が集まって出したのが「雷光」です。ところが、西東さんが「雷光」の主宰者になろうとした。私たちは、あくまで同人が横並びの立場で雑誌をやりたかった。「同人でいく」と、西東さんの要求を断りました。派閥争いのようですが、みんな若くて燃えていた。「主宰者を入れないで、早く一人前の作家になりたい」という思いが強かったからです。

＜1954年、鬼房さんは当時、「俳句界の芥川賞」といわれた現代俳句協会賞を受賞した。35歳だった＞

現代俳句協会賞は、はじめ川端茅舎賞という名で、第1回が山本健吉夫人の石橋秀野さん、2回目が細見綾子さんが受賞者。3回目が現代俳句協会賞と名前を変えて、私が選ばれた。今でこそ現代俳句協会新人賞が別にできたが、当時は新人顕彰の意味がありました。

「社会性があり、人間諷詠《ふうえい》がある」との評。諷詠がある、とは「心象風景の描写がしっかりしている」というようなことでしょうか。選考の過程で、中村草田男さんは「文学意識が入り過ぎている」と評したそうです。結局、

次女と塩釜市の自宅の庭でくつろぐ鬼房さん＝1950年ごろ

未完成なるが故に将来性が期待できる、とされたのでしょう。

「これで先輩作家たちと肩を並べることができた」。そう思いました。

◇句に不可欠な心の優しさ

〈鬼房さんの本名は喜太郎。「鬼房」の俳号は1949年から使った〉

よく「キボウ」と読まれるが、読みは「オニフサ」です。

江戸時代、元禄年間に上島鬼貫《うわじまおにつら》という俳人がいた。芭蕉の七つ下で、「誠のほかに俳諧なし」という言葉を残している。この人物の「鬼」から取った。鬼貫の先祖は平泉の出で、岩手出身の私は、親しみも感じました。「房」は部屋のこと。つまり「鬼房」とは「鬼のいるすみか」の意味です。

鬼貫は、点料（謝礼）を取らない。主宰者にはならない。俳句はあくまで友達付き合いの感覚でやる。芭蕉門下の榎本其角らとも交流しています。そういう生き方に引かれた。

私自身は、仙台では「駒草《こまくさ》」を主宰した阿部みどり女さん（「河北俳壇」初代選者）に大変かわいがられ、私もみどり女さんが好きだった。みどり女さんは自分の弟子には厳しかったが、私には優しかった。「カボチャを煮た。おいしいものがあるから来ませんか」などとよく誘われたものです。

松島で毎年、芭蕉祭というのをやっている。瑞巌寺で法要を行い、松島湾を回り、また瑞巌寺に戻って近くのホテルで句会を開く。選者は地元が4人、中央から2人招きます。

芭蕉祭は、仙台の俳句雑誌の主宰者3人が当番制で行うが、当時私は何も主宰していないのでその資格がない。なのに、みどり女さんは1回目から「東京から誰を選者に呼ぼうか」などと私に相談を持ち掛けてくる。7回目からは私自身が頼まれて選者をしています。今は芭蕉祭最古参の選者になってしまいました。

永野孫柳さん（「河北俳壇」第2代選者）にもお世話になりました。永野さんは東北大の教養部教授だが、祖父が正岡子規と親しい人で句をやっていたため、その影響で句を作り始めたそうです。戦後間もない頃、知り合いました。

私の句は学生に結構人気があった。学生と一緒になって「きょうは永野孫柳を征伐にいくぞ」と言って句会に乗り込み、句会を合評会に変えてしまった。いい思い出です。

惜しい大先輩が次々と逝かれ、私ばかりが残った。

＜勤め先の塩釜市の製氷会社が倒産した後、鬼房さんは多賀城市の冷凍会社に勤務した。それも85年に定年退職。その年、鬼房さん主宰の「小熊座」が発行された＞

「雑誌は持たない」つもりだったけれど、「そろそろ年貢の納め時か」と思いました。「鬼房先生の出す雑誌にお金を出したい」と言ってくれた人もいました。もっともその男は会社がつぶれて、いなくなりましたが。

「小熊座」は同人、会員が全国にわたっていて合計約400人います。名前は私が付けた。北極星をけなげに守っている「小熊座」に、私の願いを託した。

かつて私は自分の生活を句で表現した。だが、それは貧乏を売り物にしていたものでした。しかし同じ貧乏でも、句に豊かさがなければならない。どん底でも、いちるの光を求める、それが大事だ。そんな句に出合ってこそ、読む人もほっとする。

これまでに出した句集は13冊、作った句は8000ぐらいでしょうか。わが身を振り返り、大事なのはヒューマニズムでくくれない「心の優しさ」が、句のどこかにないといけないということです。

今の若い人は、確かに自己本位の人が多いように思う。人のためになることを、一つでもしてほしい。お年寄りが道でうろちょろしていたら一声掛ける。それだけでもいい。

(聞き手は佐藤昌明、2001年1月4日~2月1日掲載)

「小熊座」同人の合同出版祝賀会に向かう朝、自宅前で。左が鬼房さん、右は夫人のふじゑさん。真ん中は「小熊座」編集長の高野ムツオさん= 1996 年 12 月 8 日

東北の芸術家たち
—人生・仕事を語る

発 行 日　2020年8月1日　第1刷
編　　者　河北新報社編集局
発 行 者　佐藤　純
発　　行　河北新報出版センター
〒980-0022
仙台市青葉区五橋1丁目2-28
河北新報総合サービス内
TEL 022-214-3811
FAX 022-227-7666
https://kahoku-ss.co.jp/
印　　刷　笹氣出版印刷株式会社

定価は表紙カバーに表示してあります。乱丁・落丁本はお取りかえいたします。
ISBN978-4-87341-402-7

GREEN PRINTING JFPI
P-B10004
VEGETABLE OIL INK

この印刷物はグリーン基準に適合した印刷資材を使用して、グリーンプリンティング認定工場が印刷した環境配慮商品です。インキは環境にやさしい植物油インキを使用しています。